VAWS-Pressebüro

Apokalyptische Söldner?

- Alibi Klimaschutz und Demokratie
- Die Zerstörung unserer Welt

#Netzwerk
#Drahtzieher
#Hintergründe

»Aber es hat sich als viel leichter erwiesen,
diese Utopien zu verwirklichen,
als es früher den Anschein hatte.
Und nun sieht man sich
vor die andere quälende Frage gestellt:
wie man um ihre restlose Verwirklichung
herumkommen könnte? (...)
Die Utopien sind realisierbar. (...)
Das Leben bewegt sich auf die Utopien zu,
und vielleicht eröffnet sich für
die Intelligenz und die Kulturschicht
ein neues Jahrhundert
des Sinnens und Träumens darüber,
wie man die Utopie wohl vermeiden,
wie man zum nicht utopischen,
unvollkommeneren und freieren Staat
zurückkehren könne.«

Nikolai Alexandrowitsch Berdjajew

(Russischer Philosoph)

Siehe auch: Aldous Huxley, Brave New World, 1932

Dieses Buch ist vor Drucklegung dahingehend geprüft worden, dass weder Inhalt noch Aufmachung irgendwelche BRD-Strafgesetze verletzen oder sozialethische Verwirrung unter Jugendlichen auslösen.

© VAWS • Postfach 101350 • D-47013 Duisburg

Telefon 0208-5941661 • Telefax 0208-5941669

info@vaws.de • www.vaws.de

Oktober 2023

Alle Rechte vorbehalten

ISBN: 978-3927773-55-4 (gebunden)

ISBN: 978-3927773-87-5 (broschiert)

Inhaltsverzeichnis

- **Klimapartisanen, Handlanger des Großkapitals, oder einfach nur dumme Statisten**   **11**
- **Das A22-Netzwerk**   **15**
  - Renovate (Schweiz)   17
  - Just Stop Oil (Großbritannien)   18
  - Dernière Rénovation (Frankreich)   19
  - Declare Emergency (USA)   20
  - Ultima Generazione (Italien)   20
  - Stopp Oljeletinga (Norwegen)   21
  - Återställ Våtmarker (Schweden)   22
  - Restore Passenger Rail (Neuseeland)   22
  - Letzte Generation (Österreich)   22
  - Letzte Generation (Deutschland)   23
- **Weitere Klima-Aktivistengruppen:**   **27**
  - Extinction Rebellion   27
  - Scientist Rebellion   28
  - Insulate Britain   29
  - Fridays for Future   30
- **Das internationale Netzwerk hinter den Klima-Aktivisten**   **31**
  - Climate Emergency Fund (CEF), Kapitalgeber des A22-Netzwerks   31

350.org	36
MoveOn	36
Tides Foundation	37
Die Kapitalgesellschaft Compassionate Revolution Ltd.	37
• **Schaubild: Geldgeber des Climate Emergency Fund und das A22-Netzwerk**	**38**
• **Schaubild: Die Kapitalgesellschaft Compassionate Revolution Ltd.**	**42**
• **Die Institute**	**45**
Climate Policy Initiative am Deutsches Institut für Wirtschaftsforschung e.V. (DIW Berlin)	46
Open Society University Network (OSUN)	47
Oil Change International	47
Equation Campaign	47
• **Klimawandel als Geschäftsmodell**	**49**
• **Krieg schadet dem Klima und steigert das Geschäft**	**53**
• **Geoge Soros**	**55**
Wer bekommt in Deutschland Geld von der Soros-Stiftung OSF?	63
• **Kritik aus Israel: Soros'- Kampangen des globalen Chaos**	**65**
• **Kritik aus Russland: Soros-Stiftungen verfassungsfeindlich**	**69**
• **Die Freude ist nur kurzlebig**	**71**
• **Soroa Funds und »Soros Fund Management LLC «**	**71**

- Aktienanteil der »Soros Fund Management LLC« an Energieunternehmen mit AKWs und KKWs 79
- Diese Aktien hat die »Soros Fund Management LLC« in ihrem Depot 80
- Überleitung 87
- Die Revolutions-Maschinerie und die Zerstörung der Welt 91
    - Regimewechsel in Serbien 91
    - Regimewechsel in Georgien (Rosenrevolution) 95
    - Regimewechsel in der Ukraine 2004 (Orange Revolution/Kastanienrevolution) 98
    - Regimewechsel in der Ukraine 2014 (Euromaidan) 104
    - Der Arabische Frühling 109
        - 1. Regimewechsel in Tunesien 110
        - 2. Regimewechsel in Ägypten 118
        - 3. Regimewechsel in Libyen 124
- Otpor! / CANVAS, die Revolutionsmacher 129
- Widerstand 135
- Schlussgedanke 137
- Dokumentenanhang 139
- Quellenverzeichnis 149
- Namensverzeichnis 179

»Bisher hat der Fond knapp über 7 Millionen gespendet, mit dem Ziel, die Gesellschaft in den Notstand zu versetzen.«

Die Geschäftsführerin des CEF, Margaret Klein Salamon[45]

Klimapartisanen, Handlanger des Großkapitals, oder einfach nur dumme Statisten

Bei aller Ernsthaftigkeit des Themas war es doch recht amüsant einmal die Schusseligkeit einiger Aktivisten zu beobachten. Sei es der nicht funktionierende Feuerlöscher, mit dem die Fassade des Ministeriums für Digitales und Verkehr beschmiert werden sollte und der Aktivist bedröppelt wieder abzog, oder die nette Dame, die ein Schmiermittel auf die Straße schüttete, um Autos zum Rutschen zu bringen und dabei selbst auf dem Hintern landete. Aber meine persönlichen Favoriten: Die Klebeaktion an dem Geländer des Dirigentenplatzes der Elbphilharmonie, als das Geländer einfach aus dem Boden gehoben und weggetragen wurde - samt Aktivisten, die mal wieder blöd aus der Wäsche schauten und natürlich die Aktion, als sich Aktivisten von einer Ausfahrt des Bundeskanzleramtes positionierten und nicht wussten, dass diese Ausfahrt gar nicht genutzt wurde. Leider konnte ich die blöden Gesichter nach dem Erwachen der Demonstranten an der Ausfahrt nicht sehen. Sie werden sicherlich für weitere Kapriolen sorgen und uns den Weltuntergang etwas damit versüßen.

Bei allem Amüsement, die Lage ist ernst. Ernst wegen der zunehmenden Gewalt bei diesen Aktionen der Klimaaktivisten, ernst wegen des Themas an sich, was durch solche Aktionen indiskutabel wird, aber vor allem ernst, weil man sich des Eindrucks nicht wehren kann, dass hier Menschen als Statisten für die Interessen von Großinvestoren und Millionären/Milliardären eingespannt werden. Die letzte Möglichkeit möchte ich in dieser Schrift etwas näher durchleuchten, denn vielleicht geht es hier nach dem Motto »Denn sie wissen nicht, was sie tun«.

Da diese Klimaaktivisten sich bei ihren Aktionen nur selten an Gesetze halten und sie auch meist nicht in rechtsfähigen Organisationen organisiert sind, fließen die Gelder ziemlich intransparent. Meist sind weitere Organisationen zwischengeschaltet, dass sich die Spuren zum Großkapital schnell verlieren. Umso interessanter wurden die Recherchen.

Angeblich müssen die Geldempfänger in unterster Instanz schriftlich garantieren, dass das Geld nur legal verwendet wird, aber wer will das kontrollieren und bei der Fülle der Gesetzesverstöße stellt sich die Frage, ob man das überhaupt kontrollieren möchte, denn die Gesetzesverstöße gehen wie die Finanzierungen weiter. Zumindest konnten sich die Geldgeber mit dieser Garantie rechtlich absichern, um nicht selbst ins Schussfeld zu gelangen - sollen doch die Statisten ihre Dreckarbeit erledigen. Scheinbar gehört, wie wir Eingangs gesehen haben, eine gewisse Blödheit zu diesen Handlungen. Nützliche Idioten, deren Idealismus ausgenutzt wird?

Nebenbei bemerkt weigere ich mich - anbetracht der vielen Grauhaarigen bei den Aktivisten - diese als idealistische Jugendbewegung zu sehen. Zum einen genügt mir ein Blick in die Gesichter dieser Schlafmützen, um den fehlenden Idealismus zu erkennen und zum Anderen halte ich unsere Jugend für kritischer, um sich einfach so plump instrumentalisieren zu lassen.

Nein, das hat unsere Jugend nicht verdient, mit diesen Stimmungstötern in einen Topf geworfen zu werden. Bekennende Klimakleber die sich als Handlanger des Großkapitals einspannen zu lassen.

Wie steht es nun mit der Finanzierung der sogenannten Klimaaktivisten? Bei unseren Recherchen stießen wir auf ein Netzwerk, dass über komplizierte Organisationsgeflechte und teils undurchsichtige Finanzflüsse organisiert ist. Bei oberflächlicher Betrachtung - das ist wahrscheinlich beabsichtigt - sieht alles völlig harmlos aus. Man sieht oberflächlich betrachtet Organisationen und Vereine die eher klein und unbedeutend erscheinen. Bei genauer Betrachtung fällt auf, dass am Ende des Finanzdschungels alles andere als kleine unbedeutende Vereine stehen. Es ergibt sich ein Netzwerk, das wahrscheinlich nicht einmal den Aktivisten auf der Straße bekannt ist.

W. Symanek

Klimabilanz der Grünen Außenministerin und Vielfliegerin Annalena Baerbock in 2022:

- *67 Mal den Regierungsflieger benutzt*
- *5.000 Tonnen CO2-Ausstoß*
- *7,6 Millionen Euro Kosten*[276]

Bonus 2023:

- *80 Tonnen Kerosin in die Umwelt abgelassen*[277]

Dazu Sevim Dagdelen (Die Linke): »*Würde Außenministerin Baerbock stärker Linienflüge nutzen, wie sie es selbst einmal angekündigt hatte, wäre es für die Steuerzahler günstiger und für das Klima schonender.*«[278]

Dazu das VAWS-Pressebüro: Würde Außenministerin Baerbock wie Greta Thunberg ein Segelboot benutzen, wäre es noch günstiger für den Steuerzahler, noch schonender für die Umwelt und vor allem außenpolitisch eine Verbesserung, wenn Sie durch längere Reisezeiten weniger falsch machen kann.

Das A22-Netzwerk

»Das internationale A22-Netzwerk vereint zivile Widerstandsprojekte [...] Wir sind die Letzte Generation der alten Welt. Wir sind heute hier, um zu sagen, dass wir eine neue Welt schaffen werden – in der die Menschheit sich selbst akzeptiert, sich vergibt, sich liebt und sich verpflichtet, unser großes Abenteuer fortzusetzen.«

So steht es auf der Internetseite des A-22 NETZWERKES und als wir diesen Text gelesen hatten und uns zuvor die große Unterstützung der Klimaaktivisten für die »Offene Gesellschaft« aufgefallen war, wanderten meine Gedanken sofort zu Huxleys »Brave New World« (Schöne neue Welt).

Ein Weltstaat mit einer Weltregierung hat sich etabliert, freie Drogen zum Glücklichsein, Museen wurden geschlossen, Denkmäler vernichtet (heute mangelnde Wertschätzung der Kunst - Klima-Aktivisten kleben sich an Picasso-Gemälde fest

Bild: Screenshot der Internetseite des »A22-Netzwerks«

- Klimaaktivisten schütteten Öl auf Klimt-Bild im Leopold-Museum - Klimaaktivisten übergossen Van-Gogh-Bild mit Suppe). Der technische Fortschritt wird eingeschränkt (sofern nicht den eigenen Interessen dienend), Indoktrination (psychologische Beeinflussung u.a. durch den Akt der moralischen Empörung), Klima-Aktivisten als die neuen Alpha-Plus-Menschen? - die Kontrolleure?

Das A22-NETZWERK ist laut ihrer Internetseite eine Verflechtung aus derzeit 10 Klima-Aktivisten-Gruppen (Projekten), die nachfolgend aufgeführt werden:

- Renovate (Schweiz)
- Just Stop Oil (Großbritannien)
- Letzte Generation (Deutschland)
- Dernière Rénovation (Frankreich)
- Declare Emergency (USA)
- Ultima Generazione (Italien)
- Stopp Oljeletinga (Norwegen)
- Återställ Våtmarker (Schweden)
- Restore Passenger Rail (Neuseeland)
- Letzte Generation (Österreich)

• **Renovate (Schweiz)**

RENOVATE ist eine Klima-Aktivisten-Gruppe, die im April 2022 gegründet wurde. Aktuelle Kernforderung ist, ein Notfallplan zur thermischen Sanierung einer Million Gebäude in der Schweiz bis 2040. Im Oktober 2022 bestand die Gruppe lediglich aus ca. 100 Personen aus allen Altersgruppen.[1]

In den Schlagzeilen geriet der Klimaaktivist und Pressesprecher Max Voegtli von RENOVATE, wegen einer Flugreise in die Schweiz. »*Nach Berechnungen von „20 Minuten" mit dem myclimate-Flugemissionen-Rechner dürfte die Flugreise von Voegtli und seiner Begleiterin etwa sechs Tonnen CO_2-Ausstoß verursacht haben.*«[2]

Wie auch in Deutschland blockieren die »Klimakleber« von RENOVATE den Straßenverkehr. Staatsanwaltschaftliche Ermittlungen laufen.[3]

Bildnachweis: Alisdare Hickson (https://commons.wikimedia.org/wiki/File:Just_Stop_Oil.jpg), „Just Stop Oil", https://creativecommons.org/licenses/by-sa/2.0/legalcode

Foto: »Just Stop Oil«-Aktivisten marschieren am 20. März 2023, durch Whitehall, wobei im Hintergrund gerade noch die Spitze der Nelson-Säule zu sehen ist.

- **Just Stop Oil (Großbritannien)**

Die britische Umweltaktivistengruppe JUST STOP OIL wurde im Februar 2022 gegründet. Seit 21.12.2022 als eine LTD Kapitalgesellschaft registriert. Direktor der Gesellschaft ist David Harry Hornsby.[4)] Ziel der Aktivisten ist, dass sich die britische Regierung dazu verpflichtet, die Lizensierung und Produktion neuer fossiler Brennstoffe einzustellen.

Nach eigenen Angaben kam es seit dem Start der Kampagne JUST STOP OIL am 14. Februar 2022 bis Juni 2023 zu über 2.100 Festnahmen und 138 Aktivisten saßen im Gefängnis. Derzeit verbüßen zwei JUST STOP OIL-Unterstützer dreijährige Haftstrafen.[5)]

Am 29.06.2022 klebten sich Klimaaktivisten von JUST STOP OIL an einem Gemälde von Horatio McCulloch in der Kelvingrove Gallery, Glasgow.[7)]

30. Juni 2022: Die 24-jährige Emily Brocklebank und der 22-jährige Louis McKechnie (beide JUST STOP OIL) haben sich an das Gemälde »Pfirsichbäume in Blüte« von 1889 in der Courtauld Gallery in London geklebt und einen Schaden von knapp 2.000 Pfund verursacht. Der historische Bilderrahmen

wurde so beschädigt, dass er nicht repariert werden konnte. Beide wurden im November 2022 gerichtlich verurteilt.[6]

Am 1. Juli 2022 hatten sich zwei Aktivisten von JUST STOP OIL in der Manchester Art Gallery an den Rahmen eines Gemäldes von J.M.W. Turner geklebt.[7]

Am 4. Juli 2022 klebten sich Mitglieder von JUST STOP OIL in Glasgow in der Kelvingrove Gallery an Horatio McCullochs 1860 entstandenes Gemälde »My Heart's in the Highlands«.[7]

Am 5. Juli 2022 klebten sich JUST STOP OIL-Aktivisten und Aktivistinnen an das Gemälde Giampietrinos, »Das Letzte Abendmahl«, in der Royal Academy in London fest.[7]

Am 14. Oktober 2022 hatten zwei Aktivistinnen von Just STOP OIL in der Nationalgalerie in London das Gemälde »Sonnenblumen« von Vincent van Gogh - dessen Wert auf über 84 Millionen Dollar geschätzt wird - mit Tomatensuppe überschüttet.[8]

Es gab mittlerweile durch JUST STOP OIL weitere Übergriffe auf Kunstgemälde sowie die üblichen Straßenklebereien.

• **Dernière Rénovation (Frankreich)**

Die Gruppe DERNIÈRE RÉNOVATION wurde im Frühjahr 2022 in Frankreich gegründet. Die Aktivisten kleben sich wie gewohnt auf Straßen und blockieren den Verkehr.

Sechs Aktivisten der Gruppe DERNIÈRE RÉNOVATION wurden am 24. Januar 2023 von einem Strafgericht in Frankreich, auch zu einer Bewährungsstrafe von jeweils 500 Euro verurteilt, weil sie die 19. Etappe der Tour de France unterbrochen hatten. Die Aktivisten legten sich am 22. Juli in Lasseube-Propre (Gers) auf die Straße und wurden wegen

»Behinderung des Fahrzeugverkehrs auf einer öffentlichen Straße« angeklagt.[9)]

- **Declare Emergency (USA)**

DECLARE EMERGENCY ist ein Projekt von ACTION NETWORK, einer Interessenvertretung, die Kapitalbeschaffungs- und Organisationsressourcen an linksgerichtete Aktivistenorganisationen vermittelt.[10)] Ein Gründungsdatum konnten wir nicht feststellen, ihre Facebookseite existiert seit November 2021.

Am 13. Dezember 2022 wurden sechs Mitglieder der Gruppe DECLARE EMERGENCY verurteilt, weil sie am 10. Oktober 2022 den Verkehr auf dem DC Beltway lahmgelegt hatten. Die sechs Mitglieder, darunter eine 61-jährige Frau, wurden zu Geld und Bewährungsstrafen verurteilt.[11)]

DECLARE EMERGENCY soll laut Forbes Joanna Smith, 53, aus Brooklyn, New York, als Aktivistin bestätigt haben, die am 27. April 2023 um 11 Uhr morgens die Statur »The Little Dancer« des französischen Künstlers Edgar Degas in das National Gallery of Art Museum in Washington, DC, mit Farbe beschmiert haben soll. Wobei die schwarze Farbe als Kunstöl und die rote Farbe als Kunstblut gedacht war.[12)]

- **Ultima Generazione (Italien)**

Die Gruppe ULTIMA GENERAZIONE wurde 2021 in Italien gegründet. Einige der Aktivisten kamen von EXTINCTION REBELLION zur ULTIMA GENERAZIONE. Auch bei dieser Gruppe gehören Straßenblockaden zu den gängigsten Aktionsformen.

Im Juli 2022 klebten sich Mitglieder der Gruppe an ein Botticelli-Gemälde in der Uffizien-Galerie in Florenz.[13)]

Im August 2022 ketteten sich Mitglieder der Gruppe an das Geländer einer Kapelle in den Vatikanischen Museen.[13)]

Im April 2023 gossen sie schwarze Farbe in den Brunnen »Fontana della Barcaccia« am Fuße der »Spanischen Treppe«.[13)]

Die Regierung in Italien kündigte einen harten Kurs gegen Klima-Aktivisten an. So können künftig für Schmierereien an Monumenten und Kunstwerken enorme Schadensersatzzahlungen von bis zu 60.000 Euro fällig werden. Darauf einigte sich das Kabinett von Ministerpräsidentin Giorgia Meloni. Das Dekret sieht auch »strafrechtliche Sanktionen« vor, sollten Kulturgüter zerstört, beschmutzt oder verunstaltet werden, so der italienische Kulturminister Gennaro Sangiuliano am 11. April 2023.[14)]

»Es ist an der Zeit zu sagen, dass es genug ist: Wir sind mit einem systematischen Vandalismus unseres künstlerischen und kulturellen Erbes konfrontiert, der absolut nichts mit dem Umweltschutz zu tun hat«, kritisierte Kulturminister Gennaro Sangiuliano.[14)]

• Stopp Oljeletinga (Norwegen)

Die Gruppe STOP OLJELETINGA startete unter der Organisation EXTINCTION REBELLION, die auch für kontroverse Aktionen bekannt ist. Ihre Wege trennten sich im Frühjahr 2022, als STOPP OLJELETINGA auf eigenen Beinen stehen wollte.

Der Klima-Aktivist Joachim Skahjem von STOP OLJELETINGA sorgte für Aufsehen, als er in der NRK-Sendung (NRK = norwegische Rundfunkgesellschaft) »Debatten«, den Rückgriff auf Gewalt bei Aktionen nicht ausschloss. Nach viel Aufsehen trennt er sich von STOP OLJELETINGA.

Der Sprecher der Organisation, Vebjørn Bjelland Berg, sagte gegenüber der norwegischen Tageszeitung Verdens Gang, dass man bei künftigen Aktionen den Rückgriff auf Sabotage nicht ausschließen kann.

Am 18. November 2022 beschmierten zwei Aktivisten von STOPP OLJELETINGA das Kunstwerk »Monolith« mit orangener Farbe.¹⁵⁾

Straßenblockaden sind auch eine Aktionsform von STOPP OLJELETINGA.

• **Återställ Våtmarker (Schweden)**

ÅTERSTÄLL VÅTMARKER wurde im März 2022 von Helen Dies, und Alfred Westh in Schweden gegründet.

Bei einer Aktion der Gruppe ÅTERSTÄLL VÅTMARKER hatten Aktivisten am 29.08.2022 eine Straße in der Nähe des Karolinska-Universitätskrankenhauses blockiert, indem sie sich auf die Fahrbahn setzten und sich zwei von Ihnen fest klebten. Im dichten Berufsverkehr hatte das einen kilometerlangen Stau verursacht, in dem auch ein Rettungswagen auf dem Weg ins Krankenhaus stecken geblieben war. Im Oktober 2022 wurden zwölf Aktivisten der Gruppe im Alter zwischen 25 und 70 Jahren wegen Sabotage und Ungehorsam gegenüber der Polizei verurteilt. Die Urteile: Bewährungsstrafen und Geldstrafen.¹⁶⁾

• **Restore Passenger Rail (Neuseeland)**

RESTORE PASSENGER RAIL, auf Deutsch »Personenschienenverkehr wiederherstellen«, macht seit Mitte August 2022 auf sich aufmerksam.

Am 15. Dezember 2022 beschmierten Aktivisten von RESTORE PASSENGER RAIL das Wahlbüro des stellvertretenden Premierministers Grant Robertson.²⁴⁾

Neben Schmieraktionen gehören insbesondere Transparente und Straßenblockaden zu den Aktionsformen der Gruppe.

- **Letzte Generation (Österreich)**

Es gibt Überschneidungen der LETZTEN GENERATION (Österreich) mit der Aktionsgruppe EXTINCTION REBELLION. So wird etwa die Internetseite der LETZTEN GENERATION (Österreich) von COMPASSIONATE REVOLUTION LTD., einem hinter EXTINCTION REBELLION stehenden Unternehmen, betrieben.[17,18]

Zwei Aktivisten der Gruppe LETZTE GENERATION führten am 15. November 2022 im Wiener Leopold Museum einen Anschlag auf das Gemälde »Tod und Leben« des österreichischen Malers Gustav Klimt durch. Während ein Aktivist der Gruppe Öl auf das Schutzglas des Gemäldes schüttete, klebte der andere Aktivist sich mit einer Hand am Schutzglas des Klimt-Gemäldes fest. Hintergrund war das Sponsoring des Museums durch einen österreichischen Öl- und Gaskonzern.[19]

Der Letzte Generation blockiert eine Straße

- **Letzte Generation (Deutschland)**

Die LETZTE GENERATION (Deutschland) bildete sich 2021 und wurde seit dem Jahr 2022 verstärkt aktiv. Zunehmende

Ablehnung erhält die LETZTE GENERATION insbesondere, weil sich die Aktivisten (auch Klimakleber genannt) bei vielen Aktionen auf Straßen oder an Kunstgemälden festkleben.

Immer häufiger kommt es in Deutschland wegen Aktionen der Klima-Aktivisten zu strafrechtlichen Verurteilungen. Die Mitglieder der Gruppierung LETZTE GENERATION sind laut Bundesinnenministerin Nancy Faeser für 580 Straftaten verantwortlich. Dabei handele es sich um Nötigung und Sachbeschädigung. Insgesamt seien 740 Personen »*polizeilich in Erscheinung getreten*«.

Im Mai 2022 wurden bei Razzien wegen des Verdachts, eine kriminelle Vereinigung gebildet oder unterstützt zu haben, in mehreren Bundesländern Wohnungen und Geschäftsräume der Gruppe durchsucht.[25]

Am 23. August 2022 klebten sich zwei Aktivisten der LETZTEN GENERATION in der Gemäldegalerie Alte Meister in Dresden am Rahmen der »Sixtinischen Madonna« fest. Es entstand am Rahmen ein Sachschaden in Höhe von 5.000 €.[27,28]

Am 24. August 2022 klebten sich zwei Klimaaktivisten im Frankfurter Städel an dem Rahmen des Gemäldes »Gewitterlandschaft mit Pyramus und Thisbe« von Nicolas Poussin.[29]

Vor Beginn eines Konzerts in der Hamburger Elbphilharmonie klebten sich am 23. November 2022 zwei Aktivisten der LETZTEN GENERATION ans Geländer des Dirigentenpults. Ein Ordner hob das nicht fest montierte Geländer aus dem Pult und zog unter Applaus des Publikums die festhängenden Aktivisten aus dem Saal.[35]

Am 24. November 2022 drangen Aktivisten der LETZTEN GENERATION illegal auf das Gelände des Flughafens Berlin Brandenburg ein und klebten sich auf dem Rollfeld fest, woraufhin der Flugbetrieb vorübergehend eingestellt werden musste. Mehrere Aktivisten wurden vorübergehend in Gewahrsam genommen und Strafanzeigen wegen gefährlichen Eingriffs in den Flugverkehr, Störung öffentlicher Betriebe Hausfriedensbruchs und Sachbeschädigung erstattet.[38]

Am 8. Dezember 2022 drangen Aktivisten der LETZTEN GENERATION illegal in die Flughäfen Berlin Brandenburg und München ein, woraufhin es zu Rollfeldsperrungen und Beeinträchtigungen des Flugverkehres kam.[39]

Um 8.30 Uhr meldete eine Maschine im Anflug auf München einen medizinischen Notfall, weil ein 80-jähriger Passagier über Schmerzen in der Brust klagte. Das Flugzeug sollte um 9.18 Uhr landen, musste wegen der Blockadeaktion der LETZTEN GENERATION aber auf die Südbahn umgeleitet werden, wo es erst um 9.38 Uhr landen konnte.[40]

Nach einer Straßenblockade der LETZTEN GENERATION am 6. Februar 2023 in Hannover beschmierten Aktivisten das Ernst-August-Denkmal vor dem hannoverschen Hauptbahnhof mit Farbe.[36]

Am 21. Februar 2023 wurde gegen 9:50 Uhr in Berlin die Polizei alarmiert, weil sechs Aktivisten der LETZTEN GENERATION einen jungen Rot-Ahorn-Baum abgesägt hatten. 10 Kilogramm CO_2 kann ein Rot-Ahorn im ausgewachsenen Zustand pro Jahr speichern. Wegen gemeinschädlicher Sachbeschädigung und Verstoßes gegen das Grünflächenschutzgesetz schrieb die Polizei Anzeigen.[34]

Am 23. Februar 2023 klebte sich das Gründungsmitglied der LETZTEN GENERATION, Henning Jeschke, während einer Gerichtsverhandlung im Amtsgericht Tiergarten in Berlin am Richtertisch fest. Gegen ihn wurde an diesem Tag wegen Nötigung, Widerstands gegen Vollstreckungsbeamte und gefährlichen Eingriffs in den Straßenverkehr verhandelt.[26]

Am 6. Juni 2023 durchschnitten fünf Aktivisten der LETZTE GENERATION mit Bolzenschneider den Zaun des Flughafens Sylt an zwei stellen, verschafften sich Zutritt und besprühten dort mit einem umfunktionierten Feuerlöscher einen Cessna CitationJet mit oranger Farbe.[33]

Am 13. Juli 2023 verschafften sich Klima-Aktivisten illegal Einlass zu Flughäfen und klebten sich auf Zubringerwegen in der Nähe von Start- und Landebahnen der Flughäfen Hamburg und Düsseldorf fest. Zahlreiche Flüge mussten annulliert werden. Nordrhein-Westfalens Innenminister Herbert Reul (CDU): *»Diese Klima-Chaoten sind keine Aktivisten, sondern Kriminelle. Flugzeuge, die die Landung abbrechen müssen, Familien, denen man den Start in den Urlaub verderben will – das hat rein gar nichts mit legitimem Protest zu tun. Wer das mitmacht, muss wissen: Gefährlicher Eingriff in den Luftverkehr und Nötigung sind Straftaten.«*[37]

Rainer Wendt, Bundesvorsitzender der deutschen Polizeigewerkschaft: *»Der Einsatz des Verfassungsschutzes zur gezielten Beobachtung dieser Gruppierung ist deshalb angemessen und auch dringend geboten; hier geht es nicht nur um ein paar junge Spinner, die man wegtragen kann, sondern um konkret staatsfeindliches Handeln, das unterbunden werden muss.«*[31]

Der Journalist Reinhard Mohr beschrieb in der Neuen Zürcher Zeitung (NZZ) die Gruppe als sektenartig und demokratieverachtend.[32]

30 Ortsgruppen von FRIDAYS FOR FUTURE (FFF) erklärten sich mit der LETZTEN GENERATION und ihren Unterstützern solidarisch. Man nutze unterschiedliche Protestformen, verfolge aber die gleichen Ziele.[30]

Zu den bekannten Personen der LETZTEN GENERATION in Deutschland zählen die Sprecherin Carla Hinrichs, der Aktivist Henning Jeschke, die Aktivistin Mirjam Herrmann und Aimée van Baalen, die als Mitglied der Gruppe in der Talkshow »Hart aber fair« im Ersten auftrat.[41]

Weitere Klima-Aktivistengruppen

- **Extinction Rebellion (XR)**

EXTINCTION REBELLION (XR) wurde 2018 von der britischen Kapitalgesellschaft COMPASSIONATE REVOLUTION LTD. ins Leben gerufen.

Laut Eigenaussage (März 2020) waren XR in 87 Ländern mit 1.029 Ortsgruppen vertreten,[60] in Deutschland waren im Juli 2023, 85 aktive Ortsgruppen ausgewiesen,[61] deren Größe und Existenz man allerdings nicht überbewerten darf.

EXTINCTION REBELLION gilt als radikales Gegenstück zu FRIDAYS FOR FUTURE, auch wenn ursprünglich Aktionen von beiden Gruppen gemeinsam durchgeführt wurden. Die Gruppe ruft wie die LETZTE GENERATION zu »zivilem Ungehorsam« auf und erregt Aufmerksamkeit durch provokante Protestformen.[62]

Für den 18. November 2022 rief EXTINCTION REBELLION in Deutschland zu einer Solidaritäts-Aktion für die LETZTE GENERATION auf.[63]

Extinction Rebellion, Besetzung des Brandenburger Tors

- **Scientist Rebellion**

SCIENTIST REBELLION ist seit 2021 ein Netzwerk von Wissenschaftlern in rund 30 Ländern, darunter Deutschland. Die Gruppe soll ein Ableger von EXTINCTION REBELLION sein.[64]

Zu den Aktionsformen gehören Straßenblockaden, das Festkleben an Gebäuden oder Fahrzeugen und das Plakatieren von großformatigen Publikationen. Auch ihre Protestaktionen führten vielfach zu Ermittlungsverfahren gegen die Aktivisten, unter anderem wegen Sachbeschädigung, Nötigung und Verstoßes gegen das Versammlungsgesetz.

Im Oktober 2022 drangen 50 Aktivisten von SCIENTIST REBELLION in das Bundesverkehrsministerium ein, blockierten den Eingangsbereich und vergossen rote Farbe.[65]

In den Niederlanden verschafften sich im November 2022 rund 200 Aktivisten, u.a. von SCIENTIST REBELLION Zugang zu einer Landebahn des Flughafens Schiphol und setzten sich vor Privatflugzeugen.[66)]

Mit einer Aktion am Berliner Flughafen BER am 10.11.2022 demonstrierte die Gruppe SCIENTIST REBELLION gegen Privatjets und fossile Energie. Aktivisten der Gruppe stellten sich auf der Straße vor dem Privatjet-Terminal des BER auf und blockierten den Eingang.[67)]

Zu den Bündnispartnern von SCIENTIST REBELLION gehören auch die Gruppen LETZTE GENERATION, DEBT FOR CLIMATE, END FOSSIL: OCCUPY, und JETZT ODER NIE – ELTERN GEGEN DIE FOSSILINDUSTRIE.[65)]

Scientist Rebellion blockiert in Berlin eine Brücke

• **Insulate Britain**

INSULATE BRITAIN ist eine Umweltaktivistengruppe, die von sechs Mitgliedern der globalen Umweltbewegung EXTINCTION REBELLION gegründet wurde. Ihre Methoden unterscheiden sich geringfügig von denen von EXTINCTION REBELLION.

Ihre Aktionen bestehen überwiegend aus Straßenprotesten. Ihre Aktivisten wurden wegen des Verdachts verschiedener Straftaten festgenommen, darunter Sachbeschädigung, Gefährdung von Verkehrsteilnehmern, vorsätzliche Behinderung der Autobahn und Belästigung der Öffentlichkeit.[68]

- **Fridays for Future (FFF)**

FRIDAYS FOR FUTURE existiert in Deutschland seit ungefähr Januar 2019. Anders als die LETZTE GENERATION werden Protestformen gewählt, die nicht strafrechtlich verfolgt werden. Seit den zunehmenden Aktivitäten der LETZTE GENERATION findet FFF in deutschen Medien kaum noch Beachtung, ausgenommen einige Führungspersonen, die von Talkshow zu Talkshow gereicht werden.

Bei FRIDAYS FOR FUTURE handelt es sich keineswegs nur um eine einfache unorganisierte Schülerbewegung. Die Mitorganisatoren in Deutschland heißen Luisa Neubauer, Ragna Diedrichs, Carla Reemstma, Linus Steinmetz, Jakob Blasel und Louis Mortaal. Alle sind irgendwo organisiert, entweder bei ONE, bei 350.ORG, BÜNDNIS 90/DIE GRÜNEN, oder bei dem CLUB OF ROME, die teilweise direkt von der George Soros-Stiftung OPEN SOCIETY FOUNDATIONS oder von Rockefeller-Stiftungen finanziert werden. Louis Mortaal arbeitet direkt mit dem CLUB OF ROME zusammen.

Ob George Soros, der CLUB OF ROME oder der ROCKEFELLER BROTHERS FUND, der ebenfalls 350.ORG finanziert, alle haben eines gemeinsam: Sie sind eng verknüpft mit den Lobbys, die seit Jahrzehnten die »Geschicke« der Welt mitbestimmen. Ob TRILATERALE KOMMISSION oder der COUNCIL ON FOREIGN RELATION (CFR) - hier treffen sich die Mächtigen der Welt aus Politik, Wirtschaft und Medien - hier wird Weltpolitik gemacht.

Dabei sind nicht selten Leute dieser Lobbyorganisationen und ihre Akteure für den ökologischen Zustand unserer Erde mitverantwortlich!

Das internationale Netzwerk hinter den Klima-Aktivisten

Climate Emergency Fund (CEF), Kapitalgeber des A22-Netzwerks:

Der CEF wurde 2019 von den US-Amerikanern Rory Kennedy und Trevor Neilson mit Unterstützung von Aileen Getty gegründet. Geschäftsführerin von CEF ist seit 2021 Margaret Klein Salamon, die Mitbegründerin der NGO THE CLIMATE MOBILIZATION (TCM) im Jahr 2014. Recherchen von Zeit-Online zufolge hat die das CEF allein aus den USA im Jahr 2022 5,1 Millionen Dollar an 44 Klima-Gruppen weltweit gezahlt.[42]

Seit der Gründung 2019 finanzierte der CEF laut eigenen Angaben weltweit 94 Organisationen, darunter EXTINCTION REBELLION, aber auch das A22-NETZWERK, das 11 Aktivistengruppen wie JUST STOP OIL, LETZTE GENERA-

TION oder LAST RENOVATION, vereint. Der CEF behauptet außerdem, seit seiner Gründung 22.000 Klimaaktivisten ausgebildet und mehr als eine Million Aktivisten mobilisiert zu haben.[50]

Der CEF wird von kapitalkräftigen Leuten geführt und diese sind keine Unbekannten. So u.a. von Adam McKay, der Produzent und Drehbuchautor der Klimasatire »Don't Look Up«, der enorme Summen dem CEF gespendet hatte[43] und mittlerweile dem Vorstand des CEF angehört.

Aileen Getty, Enkelin von Jean Paul Getty I, reichster Mann der Welt in den 60ern, der seine Milliarden mit Öl gemacht hatte.[46] Getty soll im Jahr 2019 1 Million US-Dollar ihres Privatvermögens an den CEF gespendet haben.[44]

Rory Kennedy, die jüngste Tochter des ermordeten US-Senators Robert F. Kennedy,[47] Regisseurin und Filmproduzentin.[48]

Die Geschäftsführerin des CEF, Margaret Klein Salamon: *»Bisher hat der Fond knapp über 7 Millionen gespendet, mit dem Ziel, die Gesellschaft in den Notstand zu versetzen.«*[45]

Die Zeitung »Die Zeit« hat sich in Beverly Hills den Sitz des CEF näher angeschaut. Dabei soll es sich um ein Bürokomplex mit Firmen wie THE MANAGEMENT GROUP, eine Verwaltungsfirma für reiche Menschen, handeln. Nebenan ein Showroom für LAMBORGHINI. *»Am Empfang, vierter Stock, sitzt eine Frau. Nach dem Climate Emergency Fund gefragt, sagt sie, hier befinde sich die geschäftliche Seite, „the business end". Ob jemand zu sprechen sei? Die Frau scheint irritiert. „Die melden sich, falls sie Interesse haben sollten."«*[79]

Unsere Recherchen haben ergeben, dass der CLIMATE EMERGENCY FUND mindestens

392.000 Euro an EXTINCTION REBELLION

200.000 Euro an ACTION FOR CLIMATE EMERGENCY

1.1 Millionen Euro an JUST STOP OIL

91.000 Euro an SCIENTIST REBELLION

154.000 Euro an SAVE OLD GROWTH

und indirekt 50.000 Euro + Gehälter an die LETZTE GENERATION gezaht hat (siehe Schaubild Seite 42).

Über die im Schaubild auf Seite 42 hinausgehenden Spender werden wir erst in den nächsten Jahren erfahren, wenn der Veröffentlichungspflicht der »Form 990« nachgekommen wird.

Der Vorstand des Climate Emergency Fund bestand 2022 aus:

Aileen Getty, Rory Kennedy, Geralyn Dreyfous, Sarah Ezzy, Adam McKay und Shannon O'Leary Joy.

Im Beirat des Climate Emergency Fund saßen 2022:

Carol Cheng-Mayer, Laura Dawn (MOVEON), Stephen M. Kretzmann (OIL CHANGE INTERNATIONAL), Bill McKibben (350.ORG), Bich Ngoc Cao und David Wallace Wells.

Folgende Mitarbeiter führt der Climate Emergency Fund in seinen Annual-Report 2022 auf:

Margaret Klein Salamon, PhD (Geschäftsführerin), Rowena Koenig (Entwicklungsleiterin), Sophie Tong-Try (Betriebsleiterin), Russell Gray (Programmbeauftragter), Yusra Razouki (Entwicklungsbeauftragte) und Crystal Craig (Vorstandsassistentin).[49]

Interessant ist ein Blick hinter die Personen Aileen Getty:

Aileen Getty (geboren am 14. Juli 1957) ist eine US-amerikanische Schauspielerin, engagierte sich für AIDS-Kranke und Obdachlose, und aktuell finanziert sie Klima-Aktivisten. Ihr Bruder Mark Getty ist der Mitbegründer, Namensgeber und war bis Oktober 2015 Präsident der Bildagentur Getty Images.

Aileen Getty ist die Enkeltochter von J. Paul Getty I (1892-1976), dem 1976 verstorbenen Gründer der GETTY OIL COMPANY, welcher 1966 der reichste Mann der Welt war. Nachdem Gordon Getty das Erbe übernahm, verkaufte er die GETTY OIL COMPANY Mitte der 1980er Jahre an Texaco für 10 Milliarden Dollar.[56]

John Paul Getty II. (Vater von Aileen Getty) wurde als dritter von fünf Söhnen von Öl-Tycoon J. Paul Getty I geboren. Nach seinem Studium übernahm er die Leitung der Firma GETTY OIL in Italien. Nach sechs Jahren trat er wieder aus dem Unternehmen. 1966 heiratete er die Schauspielerin Talitha Pol. Während einer Reise nach Thailand wurde das Paar schwer heroinabhängig.[51] Am 11. Juli 1971 wurde Tailitha Pol tot in der Getty-Wohnung an der Piazza d'Aracoeli aufgefunden. Die Autopsie ergab, dass sie Alkohol und Barbiturate zu sich genommen hatte. Es kamen aber Gerüchte auf, dass sie - mittlerweile nicht mehr drogenabhängig - einen Heroinrückfall erlitten hatte, während sie Zeit mit Getty verbrachte, der immer noch in seine Sucht verstrickt war.[52] John Paul Getty II. starb 2003.

Am 10. Juli 1973 entführten Mafia-Kidnapper in Rom John Paul Gettys (II.) 16-jährigen Sohn und Bruder von Aileen Getty, John Paul Getty III und verlangten 17 Millionen Dollar für seine Freilassung. Die Familie vermutete jedoch einen Trick des rebellischen Teenagers, um Geld von seinem Großvater zu erpressen[53] Schwer traumatisiert wurde John Paul Getty III. drogenabhängig und starb 2011 an multiplem Organversagen.[54]

Aileen Getty verbrachte ihre Kindheit in Italien und dann in einem Internat im Vereinigten Königreich. Bereits als Teenager nahm sie Kokain. 1981 heiratete sie den Sohn der Schauspielerin Elisabeth Taylor, Christopher Wilding Jr. mit dem sie zwei Kinder hatte. Eine Ehe, in deren Verlauf sie sich während einer ungeschützten außerehelichen Beziehung mit

AIDS infizierte und die nach sechs Jahren mit einer Scheidung endete.[57)]

Nach einer Überdosis Drogen, bei der sie fast in ihrer Badewanne ertrunken wäre, lag sie vierundzwanzig Stunden lang im Koma und wurde dann lebenserhaltend behandelt.

Mit 35 Jahren lernt sie Timothy Leary kennen. Am 17. Januar 1994 erschütterte ein Erdbeben Los Angeles. Nachdem sie knapp aus ihrem eigenen Haus entkommen war, zogen Aileen Getty und ihre beiden Söhne für eine Weile bei Timothy Leary am Sunbrook Drive ein. Am 10. Mai 1994 flogen Timothy Leary und Aileen Getty nach Austin, Texas, wo er einen Vortrag zum Thema »How to Operate Your Brain« hielt. Dort gab Timothy Leary von der Bühne aus seine Verlobung mit Aileen Getty bekannt.[59)]

Aber wer war Timothy Leary? Der 1920 in den USA geborene Timothy Leary war Psychologieprofessor und galt als Guru der Hippie-Bewegung. Er propagierte den freien und allgemeinen Zugang zu bewusstseinsverändernden Drogen wie LSD, Mescalin oder Psilocybin. Er sah psychedelische Drogen als Mittel zur »Neu-Programmierung« des Gehirns.

1965 wurde Leary an der Grenze zwischen Mexiko und den USA wegen des Besitzes von Marihuana verhaftet und zu 30 Jahren Gefängnis verurteilt.[58)] 1970 gelang ihm die Flucht, die BLACK PANTHER in Algier und ein Waffenhändler am Genfer See gewährtem ihm bis zur erneuten Verhaftung Unterschlupf.[69)] Leary verstarb 1996 nach einer Krebserkrankung.

Zurück zu Aileen Getty. Fast 30 Jahre später in 2019, hat sie ihre finanzielle Unterstützung für den von Trevor Neilson, Rory Kennedy (das jüngste Kind des verstorbenen Senators Robert F. Kennedy) und Ethel Kennedy (Witwe des ermordeten Justizministers und Senators Robert F. Kennedy) gegründeten CLIMATE EMERGENCY FUND zugesagt,[57)] dessen Vorstand sie angehört.

2023 machte Aileen Getty auf sich aufmerksam, weil Sie sich die große Luxusvilla des Schauspielers Brad Pitt für 33 Millionen US-Dollar (andere Quellen gehen von 39 Millionen US Dollar aus) kaufte.[77] Im Laufe der Jahre ließ Brad Pitt das Anwesen aufwendig in eine weitläufigen Landschaft mit Pool, Skatepark, Kino, Tennis-Platz, Koi-Teich, Gästehäusern und Eislaufbahn umbauen. Das Haus ist 600 Quadratmeter groß, hat fünf Schlafzimmer und fünf Bäder. Dort läßt es sich bestimmt besser aushalten, als bei eisiger Kälte festgeklebt auf der Autobahn.[78]

• **350.org**

350.ORG wurde 2008 von Bill McKibben gegründet. Heute sitzt er zusätzlich im Beirat des CLIMATE EMERGENCY FOND. Sie unterstützt Klimakampagnen auf der ganzen Welt.[74] Mit mehr als einer Million Euro wurde 350.ORG von Rockefeller- und Soros-Stiftungen finanziert. Es gibt u.a. eine Zusammenarbeit mit EXTINCTION REBELLION, MOVEON und OIL CHANGE INTERNATIONAL (siehe Schaubild auf Seite 42). Lisa Neubauer (FRIDAYS FOR FUTURE) war Mitarbeiterin bei 350.ORG.[75]

• **MoveOn**

MOVEON ist weniger auf Klimaaktivismus ausgerichtet, als auf die Unterstützung der Demokratischen Partei in den USA. Die Lobbyorganisation wurde 1998 gegründet. Mehr und mehr wird allerdings bei MOVEON auch das Klima thematisiert. Auf ihrer Facebookseite schreiben sie: »*The time to address climate change is no longer something we can wait on — the crisis is here. Immediate and aggressive action is needed.*«[76]

(Wir können nicht länger darauf warten, den Klimawandel anzugehen – die Krise ist da. Es sind sofortige und aggressive Maßnahmen erforderlich.)

- **Tides Foundation**

Die TIDES FOUNDATION ist eine Organisation, welche die Spendenflüsse von Spendern anonymisiert, indem die TIDES FOUNDATION als Empfänger zwischengeschaltet wird. So bekam die TIDES FOUNDATION und Ihre Schwester-Organisation, das TIDES CENTER, von der OPEN SOCIETY FOUNDATION/OPEN SOCIETY INSTITUTE (Soros) fast 30 Millionen Euro und von den Rockefeller-Stiftungen umgerechnet 12,6 Millionen Euro. Die Empfänger dieser Spenden bleiben mehr oder weniger unbekannt. Wir konnten ermitteln, dass 350.ORG von der TIDES FOUNDATION/TIDES CENTER 335.945 Euro erhielt. Siehe Diagramm auf Seite 42).

Die TIDES FOUNDATION existiert bereits seit 1976 und ist finanzieller Sponsor von Organisationen, die sich für die Förderung politischer Initiativen in Bereichen wie Umwelt, Gesundheitswesen, Einwandererrechte, LGBTQ-Rechte, Frauenrechte und Menschenrechte einsetzt.

Seit 1996 leitet TIDES das TIDES CENTER, das für kleinere Organisationen eingesetzt wird.

Die Kapitalgesellschaft Compassionate Revolution Ltd. (Extinction Rebellion):

Am 3. Juni 2015 wurde die Kapitalgesellschaft COMPASSIONATE REVOLUTION LTD. von Gail Marie Bradbrook und George William Blackmore Barda im Vereinigten Königreich unter der Firmennummer 6922618 registriert.[20]

Geldgeber des Climate Emergenc[y]

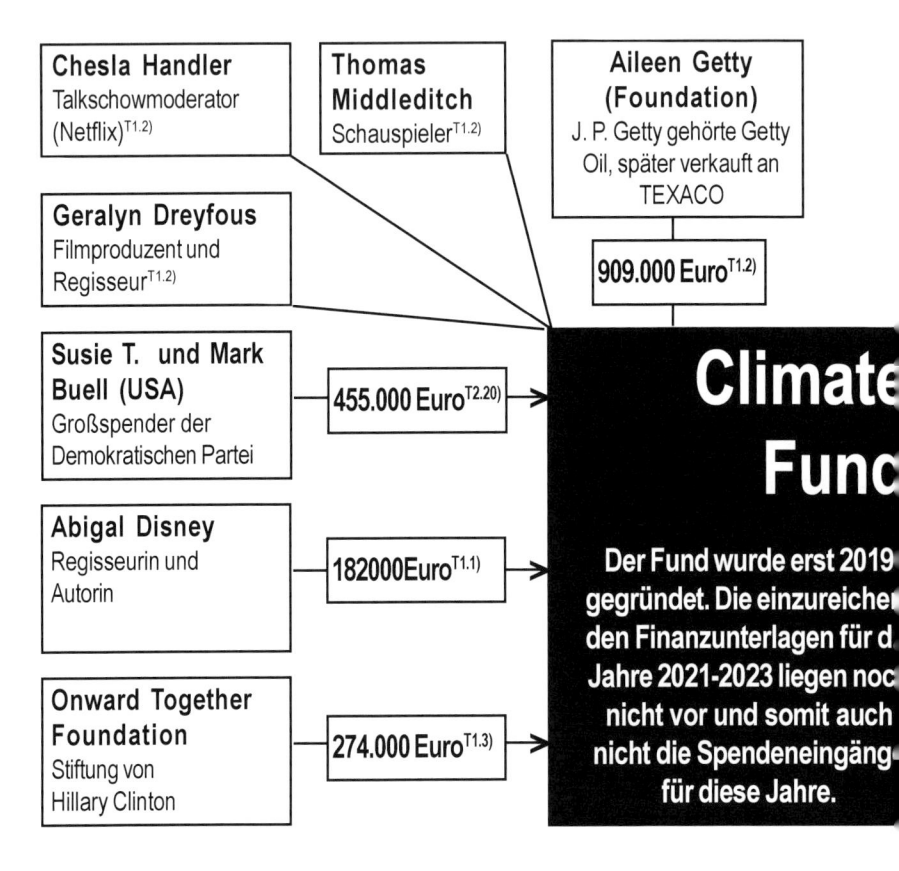

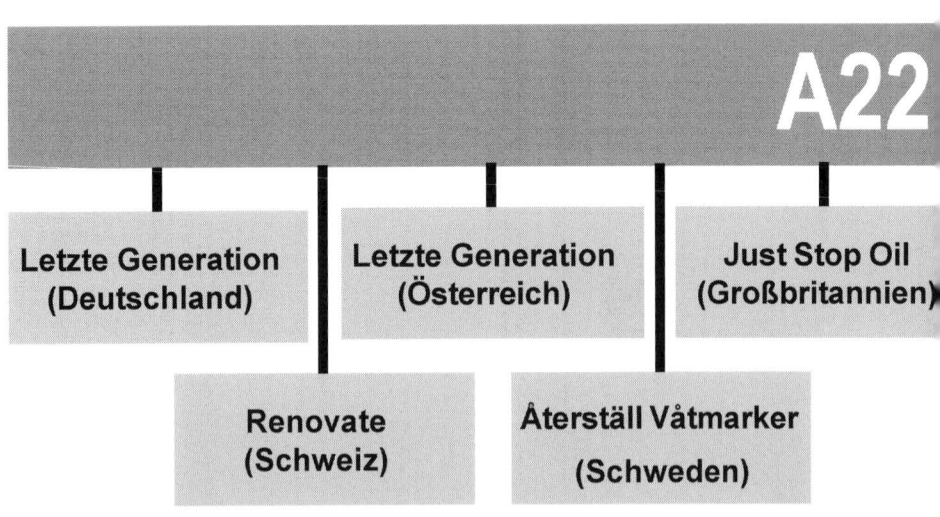

Chesla Handler
Talkschowmoderator
(Netflix)[T1.2)]

Thomas Middleditch
Schauspieler[T1.2)]

Aileen Getty
(Foundation)
J. P. Getty gehörte Getty Oil, später verkauft an TEXACO

909.000 Euro[T1.2)]

Geralyn Dreyfous
Filmproduzent und Regisseur[T1.2)]

Susie T. und Mark Buell (USA)
Großspender der Demokratischen Partei

455.000 Euro[T2.20)]

Climate Fund

Der Fund wurde erst 2019 gegründet. Die einzureichenden Finanzunterlagen für d[ie] Jahre 2021-2023 liegen noc[h] nicht vor und somit auch nicht die Spendeneingäng[e] für diese Jahre.

Abigal Disney
Regisseurin und Autorin

182000Euro[T1.1)]

Onward Together Foundation
Stiftung von Hillary Clinton

274.000 Euro[T1.3)]

A22

- **Letzte Generation (Deutschland)**
- **Letzte Generation (Österreich)**
- **Just Stop Oil (Großbritannien)**
- **Renovate (Schweiz)**
- **Återställ Våtmarker (Schweden)**

und und das A22-Netzwerk

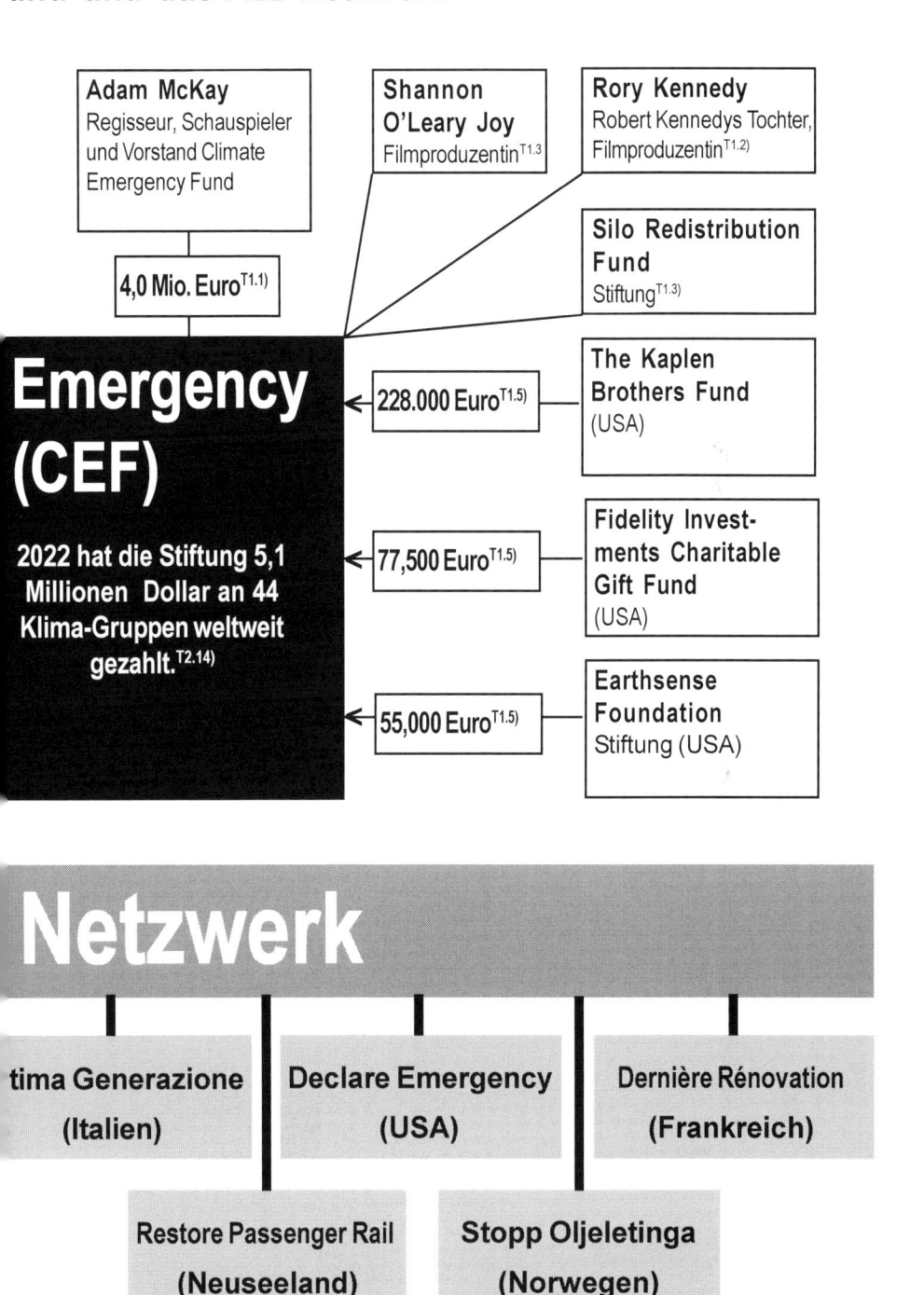

Adam McKay
Regisseur, Schauspieler und Vorstand Climate Emergency Fund

Shannon O'Leary Joy
Filmproduzentin[T1.3]

Rory Kennedy
Robert Kennedys Tochter, Filmproduzentin[T1.2]

4,0 Mio. Euro[T1.1]

Silo Redistribution Fund
Stiftung[T1.3]

Emergency (CEF)

2022 hat die Stiftung 5,1 Millionen Dollar an 44 Klima-Gruppen weltweit gezahlt.[T2.14]

← 228.000 Euro[T1.5] — **The Kaplen Brothers Fund** (USA)

← 77,500 Euro[T1.5] — **Fidelity Investments Charitable Gift Fund** (USA)

← 55,000 Euro[T1.5] — **Earthsense Foundation** Stiftung (USA)

Netzwerk

- tima Generazione (Italien)
- Declare Emergency (USA)
- Dernière Rénovation (Frankreich)
- Restore Passenger Rail (Neuseeland)
- Stopp Oljeletinga (Norwegen)

Das Gründungskapital betrug 2 Britische Pfund. Während das Umlaufvermögen der Kapitalgesellschaft 2018 gerade einmal 18.500 Britische Pfund betrug, stieg es im Jahr 2019 auf über eine halbe Million Britische Pfund an.[22] Bis zum 23. Dezember 2019 soll es sich bei der offiziellen Adresse des Unternehmens, Brick Row, GL5 1DF, United Kingdom, um eine Briefkastenadresse in einem leerstehenden kleinen Lagerhaus handeln.[23]

Die Adresse im Internet recherchiert ergab, dass dort auch noch folgende Firmen ansässig sein sollen:

- CASHES GREEN CLT COMMUNITY INTEREST COMPANY
- HILLTOP COMMUNITY NURSERY LIMITED
- STROUD COMMON WEALTH COMPANY LIMITED
- TIME BANKS UK
- TRANSITION STROUD[80]

Über Gov.UK konnten wir ermitteln, dass die COMPASSIONATE REVOLUTION LTD. seit dem 20.12.2019 ihren Sitz nach London verlegt hat.[81] Eine Adresse, die auch von AVAAZ CAMPAIGNS UK genutzt wird.[82] AVAAZ CAMPAIGNS UK organisiert globale politische Kampagnen, u.a zu den Themen Klimawandel, Menschenrechte und gewaltsame Konflikte bzw. Kriege.

Zuschüsse erhielt AVAAZ CAMPAIGNS UK von Organisationen, wie der von Soros unterstützten MOVEON[83] und Soros' OPEN SOCIETY FOUNDATIONS.[84]

Unter dieser Adresse ist auch die CLIMATE EMERGENCY ACTION LTD. registriert. Direktorin dieser Ltd. ist Elizabeth Bella Kitchiner Haughton[85] die zugleich Firmen-Direktorin der COMPASSIONATE REVOLUTION MANCHESTER LTD. ist.[86]

Die Kapitalgesellschaft COMPASSIONATE REVOLUTION LTD. steht auch im Impressum der Internetseite der »LETZTEN GENERATION« (Österreich).[21] So schließt sich der Kreis.

Das Netzwerk de

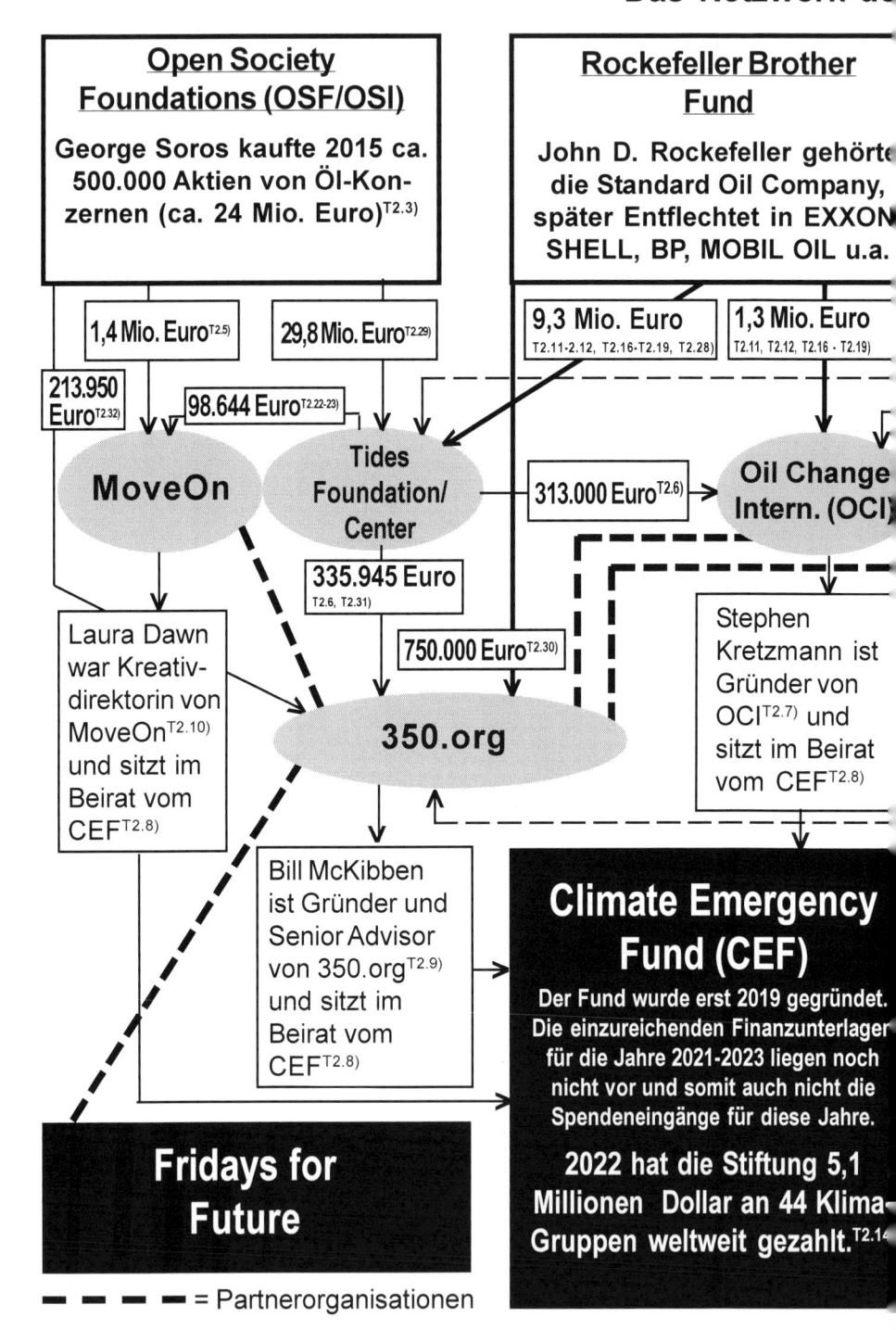

Open Society Foundations (OSF/OSI)

George Soros kaufte 2015 ca. 500.000 Aktien von Öl-Konzernen (ca. 24 Mio. Euro)[T2.3]

Rockefeller Brother Fund

John D. Rockefeller gehörte die Standard Oil Company, später Entflechtet in EXXON SHELL, BP, MOBIL OIL u.a.

1,4 Mio. Euro[T2.5] → MoveOn

29,8 Mio. Euro[T2.29] → Tides Foundation/Center

9,3 Mio. Euro [T2.11-2.12, T2.16-T2.19, T2.28] → Tides Foundation/Center

1,3 Mio. Euro [T2.11, T2.12, T2.16 - T2.19] → Oil Change Intern. (OCI)

213.950 Euro[T2.32] → MoveOn

98.644 Euro[T2.22-23] → Tides Foundation/Center

MoveOn

Tides Foundation/Center

313.000 Euro[T2.6] → Oil Change Intern. (OCI)

335.945 Euro [T2.6, T2.31] → 350.org

750.000 Euro[T2.30] → 350.org

350.org

Oil Change Intern. (OCI)

Laura Dawn war Kreativdirektorin von MoveOn[T2.10] und sitzt im Beirat vom CEF[T2.8]

Stephen Kretzmann ist Gründer von OCI[T2.7] und sitzt im Beirat vom CEF[T2.8]

Bill McKibben ist Gründer und Senior Advisor von 350.org[T2.9] und sitzt im Beirat vom CEF[T2.8]

Fridays for Future

Climate Emergency Fund (CEF)

Der Fund wurde erst 2019 gegründet. Die einzureichenden Finanzunterlager für die Jahre 2021-2023 liegen noch nicht vor und somit auch nicht die Spendeneingänge für diese Jahre.

2022 hat die Stiftung 5,1 Millionen Dollar an 44 Klima-Gruppen weltweit gezahlt.[T2.14]

– – – – = Partnerorganisationen

ima-Aktivisten

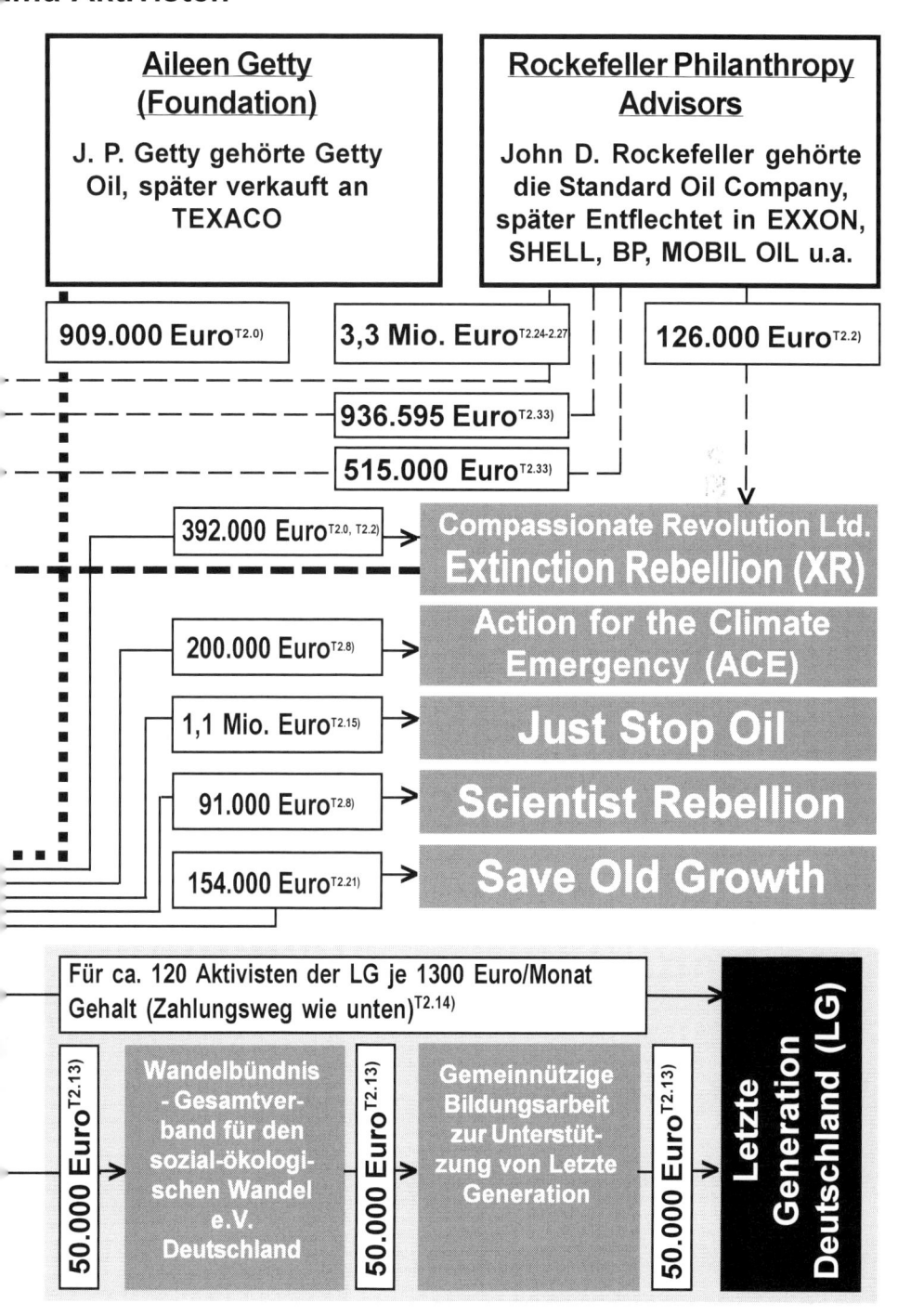

Aileen Getty (Foundation)
J. P. Getty gehörte Getty Oil, später verkauft an TEXACO

Rockefeller Philanthropy Advisors
John D. Rockefeller gehörte die Standard Oil Company, später Entflechtet in EXXON, SHELL, BP, MOBIL OIL u.a.

- 909.000 Euro [T2.0)]
- 3,3 Mio. Euro [T2.24-2.27]
- 126.000 Euro [T2.2)]
- 936.595 Euro [T2.33)]
- 515.000 Euro [T2.33)]
- 392.000 Euro [T2.0, T2.2] → **Compassionate Revolution Ltd. / Extinction Rebellion (XR)**
- 200.000 Euro [T2.8)] → **Action for the Climate Emergency (ACE)**
- 1,1 Mio. Euro [T2.15)] → **Just Stop Oil**
- 91.000 Euro [T2.8)] → **Scientist Rebellion**
- 154.000 Euro [T2.21)] → **Save Old Growth**

Für ca. 120 Aktivisten der LG je 1300 Euro/Monat Gehalt (Zahlungsweg wie unten) [T2.14)]

50.000 Euro [T2.13)] → **Wandelbündnis - Gesamtverband für den sozial-ökologischen Wandel e.V. Deutschland** → 50.000 Euro [T2.13)] → **Gemeinnützige Bildungsarbeit zur Unterstützung von Letzte Generation** → 50.000 Euro [T2.13)] → **Letzte Generation Deutschland (LG)**

Die Institute

Geld und Aktivisten allein reichen für eine Rebellion nicht aus. Es fehlen Institute, welche die Menschen mit wissenschaftlichen Informationen (oder was sie dafür halten) zum Thema versorgen. Ob zur Information, oder zur Manipulation bleibt dahingestellt. Schließlich ist auch die Welt der Wissenschaft nicht frei von Irrtümern und Fehlern.

Jedenfalls fehlt es dazu an Universitäten, in denen mögliche spätere Aktivisten geschult, oder vielleicht auch gedrillt werden könnten.

Des Weiteren muss auch Geld verdient werden. In diesem Fall bei der Klimapolitik mit Investitionen in entsprechende Energiegewinnung. Darin haben bereits viele Millionäre und Milliardäre die beste Übung und Erfahrungen, die sie ihren Nachkommen vermitteln konnten, allerdings Energiegewinnung, die weniger dem Schutz der Umwelt dient, als ihrer Verpestung.

Letztendlich benötigt man für eine gelungene Rebellion auch die entsprechenden Medien, was allerdings mit genügend Kapital auch kein Problem sein sollte.

Wie bereits zuvor angedeutet geht es vielen Aktivisten und Hinterleuten auch - oder vor allem, um die Schaffung einer »Offenen Gesellschaft«. Vorweggenommen: Der Kreis schließt sich.

Aber der Reihe nach. Da wären zuerst die Institute und Universitäten und wieder einmal führt uns die Recherche in die USA.

Climate Policy Initiative am Deutschen Institut für Wirtschaftsforschung e.V. (DIW Berlin):

2009 spendete der US-Milliardär George Soros in Deutschland ein neues Klimainstitut, welches am DEUTSCHEN INSTITUT FÜR WIRTSCHAFTSFORSCHUNG E.V. (DIW BERLIN) angesiedelt wird. Dieses Institut ist der Auftakt des Forschungsnetzwerkes namens CLIMATE POLICY INITIATIVE. Das Budget für alle Standorte der CLIMATE POLICY INITIATIVE beträgt für 10 Jahre 100 Millionen US-Dollar, die der US-Milliardär George Soros zugesichert hat. Zeitgleich kündigte Soros an, dass er neben den 100 Millionen US-Dollar eine Milliarde US-Dollar in erneuerbare Energien investieren will.[70)] Das DIW wird nicht selten als Quelle für Informationen zum Thema Klima in den Medien angeführt. Das DEUTSCHEN INSTITUT FÜR WIRTSCHAFTSFORSCHUNG E.V. (DIW BERLIN) ist das größte deutsche Wirtschaftsinstitut. Das politisch links ausgeprägte Wirtschaftsinstitut stand 2019 unter dem Verdacht, dass ihm die Schaffung politisch erwünschter Nachrichten wichtiger zu sein scheint, als Fakten. Das Politmagazin Cicero spricht im Zusammenhang mit dem DIW und ihrem Präsidenten Marcel Fratzscher von »einseitiger Darstellung und Verzerrung der Fakten«.[71)]

Open Society University Network (OSUN)

Beim WELTWIRTSCHAFTSFORUM 2020 kündigte der US-amerikanische Milliardär George Soros *»das wichtigste Pro-*

jekt seines Lebens« an. Er will mit einer Milliarde US-Dollar das OPEN SOCIETY UNIVERSITY NETWORK, ein weltweites Netzwerk von Universitäten und Hochschulen aufbauen. Er hofft mit einer starken, exzellenten Hochschulbildung politischen Widersachern entgegentreten zu können, insbesondere im Bereich Klima und »Offene Gesellschaft«.[72]

Auf der Internetseite des OPEN SOCIETY UNIVERSITY NETWORKS sind bereits mehr als 50 Universitäten und Bildungswerke weltweit aufgeführt. Darunter auch in Berlin das Bard College und die Hertie School.[73]

Oil Change International

OIL CHANGE INTERNATIONAL, gegründet 2005, bezeichnet sich auf Ihrer Internetseite als Forschungsorganisation. Ihre Forschungsarbeit wurde bisher mit mehr als zwei Millionen Euro von den Rockefeller-Stiftungen finanziert. Auch das TIDES NETZWERK spendete 313.000 Euro (siehe Diagramm auf Seite 42).

Equation Campaign

Die EQUATION CAMPAIGN wurde 2020 gegründet und bietet finanzielle Unterstützung u.a. für Rechtsverteidigung für Menschen, die in der Nähe von Pipelines und Raffinerien leben und versuchen, den Ausbau fossiler Brennstoffe zu stoppen. Die Kampagne startete mit einer Zusage von 30 Millionen US-Dollar von zwei Mitgliedern der Rockefeller-Familie, Rebecca Rockefeller Lambert und Peter Gill Case, die über einen Zeitraum von zehn Jahren verteilt werden sollte.[87]

Laut AP und Chronicle of Philanthropy haben andere Gruppen, darunter die OPEN SOCIETY FOUNDATIONS, das 11TH HOUR PROJECT der SCHMIDT FAMILY FOUNDATION und des DAVID ROCKEFELLER FUND, weitere 5 Millionen US-Dollar für die Kampagne zugesagt.[88]

Peter Gill Case ist Mitbegründer der EQUATION CAMPAIGN. Er sitzt im Vorstand des ROCKEFELLER FAMILY FUND. Mitbegründerin Rebecca Rockefeller Lambert war im Verwaltungsrat der ROCKEFELLER FAMILY FUND und den DAVID ROCKEFELLER FUND. Direktorin der EQUATION CAMPAIGN ist Katie Redford und ihre Stellvertreterin ist Annie Plotkin-Madrigal.[89]

Breakthrough Energy

BREAKTHROUGH ENERGY ist der Dachname mehrerer Organisationen, die 2015 von Bill Gates gegründet wurden und darauf abzielen, Innovationen im Bereich der nachhaltigen Energie zu beschleunigen.

BREAKTHROUGH ENERGY wird von Bill Gates angeführt, der eine persönliche Investition von zwei Milliarden Dollar angekündigt hatte.[90]

Weitere Mitglieder sind: George Soros, Mark Zuckerberg (Facebook-Gründer), Jeff Bezos (Amazon-Gründer), Marc Benioff (Unternehmer und Medieninhaber), Michael Bloomberg (Politiker der Demokraten/USA), Reid Hoffman (Mitgründer von LinkedIn. Er war Junior Produktmanager bei Apple und Fujitsu, Führungskraft des Internetdienstleisters PayPal), Jack Ma (Gründer und langjähriger Chef der Alibaba Group) und Meg Whitman (ehemalige Präsidentin von Hewlett-Packard).[91]

The Climate Reality Project

The CLIMATE REALITY PROJECT ist eine vom ehemaligen US-Vizepräsidenten Al Gore gegründete Nichtregierungsorganisation, die sich für den Aufbau einer globalen Klimaschutzbewegung engagiert.

Sie setzt dabei neben modernen Kommunikationswerkzeugen auf die Schaffung sogenannter »Climate Leader« (Klima-Führer), um weltweit auf eine Dringlichkeit von Klimaschutz und die Auswirkungen der Klimakrise hinzuweisen.[92]

Klimawandel als Geschäftsmodel

Besorgte Menschen machen sich Gedanken um Ihre Zukunft und erheben Protest. So weit ist das sicherlich lobens- und unterstützenswert. Auch ohne 100-prozentiges Wissen, ob das Klima durch Menschenhand beeinflusst, kippt oder nicht, wäre der Aktivismus für eine geschützte Umwelt sicherlich zu befürworten.

Vor allem Jugendliche, die scheinbar unabhängig, ohne Politstrategen, ohne Organisation, ohne Lobby politisch aktiv sind - das klingt doch super.

Es ist falsch, das Greta Thunberg (auch wenn nervend) zu beleidigen oder sie herabzusetzen. Es ist auch falsch, die Schüler auf der Straße bei den Klima-Demonstrationen herabzusetzen - sie machen das im Glauben an eine gute Sache. Schließlich klingt Klimaschutz gut und ist weniger vorurteilsbeladen, als sich für das eigene Land einzusetzen.

Man kann auch nicht erwarten, dass zum Beispiel eine 15-jährige Schülerin das Handelsblatt liest. Umso notwendiger ist es, eine Meldung daraus in Kurzform hier zusammenzufassen. Vor allem, was zwischen den Zeilen zu lesen ist.

Handelsblatt, 11.10.2009:

»*US-Großinvestor George Soros will eine Milliarde Dollar in erneuerbare Energien investieren [...]. In einer Erklärung für eine Chefredakteurskonferenz in Kopenhagen kündigte er am Samstag zudem an, eine neue Klimaschutz-Initiative ins Leben zu rufen und diese über 10 Jahre mit jeweils zehn Millionen Dollar auszustatten [...]. Soros sagt, er werde seine Investitionen an zwei Kriterien ausrichten:*

Sie müssten Aussicht auf Gewinn bieten und die Investitionen müssten einen echten Beitrag zur Bekämpfung des Klimawandels leisten.«

Die Firma STANDARD OIL hat John D. Rockefeller zum reichsten Mann der Welt gemacht. Einst machte die Rockefeller-Dynastie ihr Vermögen im Ölgeschäft, Milliarden mit Raffinerien und Förderrechten, bis der Staat den Riesen wegen seiner Monopolstellung zerschlug.

Aber das Kapital blieb. Ein Teil befindet sich in den Händen seiner Nachkommen, die das Geld im 860 Millionen Dollar schweren ROCKEFELLER BROTHERS FUND verwalten. 2014 verkündeten die Rockefellers in New York, dass ihre Stiftung ihr Geld aus Firmen abzieht, deren Geschäftsmodell auf fossilen Brennstoffen beruht.

»*Wir sind sehr davon überzeugt, dass er [John D. Rockefeller] als kluger und der Zukunft zugewandter Geschäftsmann heute den fossilen Energien den Rücken zuwenden und in erneuerbare Energien investieren würde*«, teilte Stiftungs-Präsident und Rockefeller-Nachkomme Stephen Heintz mit.

Erneuerbare Energien als Geschäftsmodell und Investitionsobjekt des Großkapitals. Der Kampf gegen den Klimawandel ist mittlerweile ein Milliardengeschäft und die US-Oligarchen, die sich dem Kampf gegen den Klimawandel verschrieben haben, haben sich längst direkt oder über extra dafür gegründete Investmentfonds gut daran verdient. Interessant ist, dass das Kapital der Millionäre und Milliardäre auch eingesetzt wird, um Studien zum Thema Klimawandel anzufertigen und gleichzeitig diese und dazugehörig die Notwendigkeit von einem Energiewechsel medial über eine groß angelegte Medienwelt zu verbreiten.

Nun haben wir hier, mit Rockefeller und Soros zwei Namen, die wahrlich mit dem Großkapital verknüpft sind.

Das Großkapital verdiente aber nicht nur früher am »Klimakiller« Öl und jetzt an erneuerbarer Energie, sondern auch an Banken und Rüstung. Letztere sind immer noch ein sehr gutes Geschäft und so verwundert es nicht, dass uns pausenlos Nachrichten und Informationen über »Klimakiller« bombardieren, ein Thema allerdings nur wenig Beachtung findet.

Krieg schadet dem Klima und steigert das Geschäft

5,5 Prozent der globalen Emissionen entfallen auf das Militär, so eine Studie der SCIENTISTS FOR GLOBAL RESPONSABILITY. Dazu kommen noch Kriegshandlungen. In Europa derzeit der Ukrainekrieg, der künstlich von Russischer und US-Amerikanischer Seite und seitens der EU künstlich aktiv am laufen gehalten wird.[93]

Allein im ersten Kriegsjahr entstanden so viele klimaschädliche Emissionen, wie ein Land der Größe von Belgien im gleichen Zeitraum verursacht, so der niederländische Klimaforscher Lennard de Klerk, der gemeinsam mit einem internationalen Team systematisch die direkten und indirekten Emissionen des Krieges bestimmte. So soll der Ukrainekrieg allein im ersten Jahr ca. 120 Millionen Tonnen CO_2-Äquivalent verursacht haben.[94]

Auch der Irak-Krieg soll in den ersten vier Jahren die Freisetzung von 141 Millionen Tonnen CO_2-Äquivalent verursacht haben.[95]

Letzterer war ein sogenannter »Krieg gegen den Terror«, mit der zusätzlichen Begründung, dass der Irak Massenvernichtungswaffen besitze. Massenvernichtungswaffen, die nie gefunden wurden, eine Behauptung, die sich später als Lüge erwiesen hat.

Weder im Irak-Krieg, noch im Ukraine-Krieg ist der Aufschrei der Klima-Aktivisten groß. Wahrscheinlich sind die reichen Geldgeber in den USA nicht darauf bedacht, dazu Studien erstellen zu lassen. Schließlich lässt sich an Rüstung und Kriegen gut verdienen.

Kein Aufschrei in den USA, keiner im Europa. Auch die Ampel-Regierung hält sich zurück. Sie unterstützt lieber die Verlängerung des Krieges durch Waffenlieferungen und hilft somit, neben den Kriegsparteien Russland und der Ukraine, sowie den Rüstungsexportländern, die Klimabilanz enorm zu verschlechtern. Obwohl jeder weiß, dass dieser Krieg nicht zu gewinnen ist und es nur unnötige Opfer gibt.

George Soros

»Ich war ein überzeugter Egoist, aber ich hielt das Streben nach Eigennutz für eine zu enge Grundlage für mein eher aufgeblasenes Selbst. Um ehrlich zu sein, trug ich seit meiner Kindheit einige ziemlich starke messianische Fantasien mit mir herum, die ich meiner Meinung nach unter Kontrolle halten musste, sonst könnten sie mich in Schwierigkeiten bringen. Aber als ich meinen Weg in die Welt gefunden hatte, wollte ich meinen Fantasien so viel freien Lauf lassen, wie ich es mir leisten konnte.« (George Soros) [96]

George Soros, geboren am 12. August 1930 als György Schwartz in Budapest (Ungarn). Soros, der die NS-Zeit überlebt hat, wird als Jugendlichem Kollaboration mit den Nationalsozialisten vorgeworfen[97], was jedoch abwegig erscheint.

Er studierte an der London School of Economics and Political Science, unter anderen bei dem Philosophen Karl Popper (»Offene Gesellschaft«).[98]

Seine Finanzkarriere begann Soros 1954 bei der Handelsbank SINGER & FRIEDLANDER in London[99], bevor er 1956 nach New York City zog. 1960 übernahm er einen Investmentfonds in Curaçao[100] und 1969 gründete er gemeinsam mit Jim Rogers den SOROS-FUND (später QUANTUM FOND) mit Sitz in der Steueroase Niederländische Antillen.[101]

Der Fonds startete mit einem Volumen von 12 Millionen US-Dollar und ist innerhalb von 10 Jahren auf 250 Millionen US-Dollar angestiegen.[102]

2007 verurteilte ein Gericht in Frankreich George Soros wegen Insiderhandels rechtsgültig zu einer Geldstrafe in Höhe seines mutmaßlichen Gewinns, nachdem er 1988 mit dem Kauf und Verkauf von Aktienpaketen der französischen Großbank SOCIÉTÉ GÉNÉRALE rund 2,2 Millionen US-Dollar Spekulationsgewinn erzielte.[103]

2008 ging es laut Welt.de international mit Soros-Aktionen weiter: *»In der Finanzkrise von 2008 mischte er mit, als der in London registrierte Soros-Fonds Aktien der ungarischen Bank OTP verkaufte, die er zuvor geliehen hatte, und damit einen Kurssturz von neun Prozent verursachte. Die Finanzmarktaufsicht in Budapest sah in diesem sogenannten Aktienswap ein Vergehen und verhängte eine Millionen-Strafe.«*[104]

Kann ein Mensch wirklich so viel bewirken? Ist das noch mit Demokratie und Rechtsstaatlichkeit vereinbar?

Es geht weiter: 1993 spekulierte Soros gegen die Deutsche Mark und forderte *»Down with the D-Mark«*. Kurz nachdem er seine Botschaft platziert hatte, kam es zum Kurseinbruch der Deutschen Mark auf breiter Front.[105] Dies zu einer Zeit, als Deutschland mit den finanziellen Problemen durch die Vereinigung zu kämpfen hatte.

2018 hat die Soros-Stiftung (OPEN SOCIETY FOUNDATIONS/OSF) ihren regionalen Hauptsitz mit rund 80 Mitarbeitern in Berlin eröffnet.[106]

»Erstens muss die EU in absehbarer Zukunft mindestens eine Million Asylsuchende jährlich aufnehmen.« ...

»Die EU muss während der ersten zwei Jahre jährlich 15.000 Euro pro Asylbewerber für Wohnen, Gesundheit und Ausbildung bereitstellen – und den Mitgliedsstaaten die Aufnahme von Flüchtlingen schmackhafter machen.«

Auszüge aus dem Beitrag von George Soros in der Tageszeitung »Welt« am 02.10.2015.

Laut Tagesschau verteilte zeitgleich die OSF eine Million Euro an 45 Organisationen in Deutschland.[107] Die Tagesschau berichtet dabei von wohltätigen Zwecken. Wie wohltätig sind diese Organisationen?

»In Deutschland etwa profitieren laut deren eigenen Websites die Amadeu-Antonio-Stiftung und das Medien-Unternehmen Correctiv von der „Open Society Foundation".«[108]

Bei der AMADEU ANTONIO STIFTUNG handelt es sich um eine linke Stiftung, deren Chefin Anetta Kahane ist.

Kahane war von 1974-1982 für die Stasi in der DDR-Diktatur aktiv, nachdem sie aufgrund ihrer »politisch-Ideologischen« Grundlage angeworben wurde.[109] Letzteres vermittelt ein deutliches Bild über die Person Kahane und ihre politischen Ambitionen. Sie ist dem antifaschisten Kampf, für den auch die DDR-Diktatur stand, treu geblieben.

CORRECTIV ist offiziell ein Recherchezentrum »für die Gesellschaft«, die auch von der OPEN SOCIETY FOUNDATIONS/Soros finanziert wird. Die Internetseite wirbt mit *»Fakten für die Demokratie«*, weckt allerdings eher den Eindruck, dass es sich hier um einen linken Propagandaapparat handelt, der speziell gegen die Opposition in Bundestag arbeitet und für die politischen Ziele ihres Geldgebers George Soros/OSF.

Soros und seine Stiftung nehmen mit ihren Millionen direkten Einfluss auf demokratische Wahlen.

In den USA spendete er 2003 10 Millionen Dollar an eine Gruppe, die in Amerika gegen den Präsidenten Bush Stimmung machen soll und um die amerikanischen Wähler für einen Kandidaten der Demokraten zu mobilisieren.[110] Bekanntlich blieben seine Millionen erfolglos, denn Bush wurde 2004 erneut US-Präsident.

»Business Insider« machte 2016 mit dem Titel *»Star-Investor Soros erklärt Trump den Krieg«* auf. Weiter: *»Einer der*

Von George Soros gegründete Firmen und Organisationen

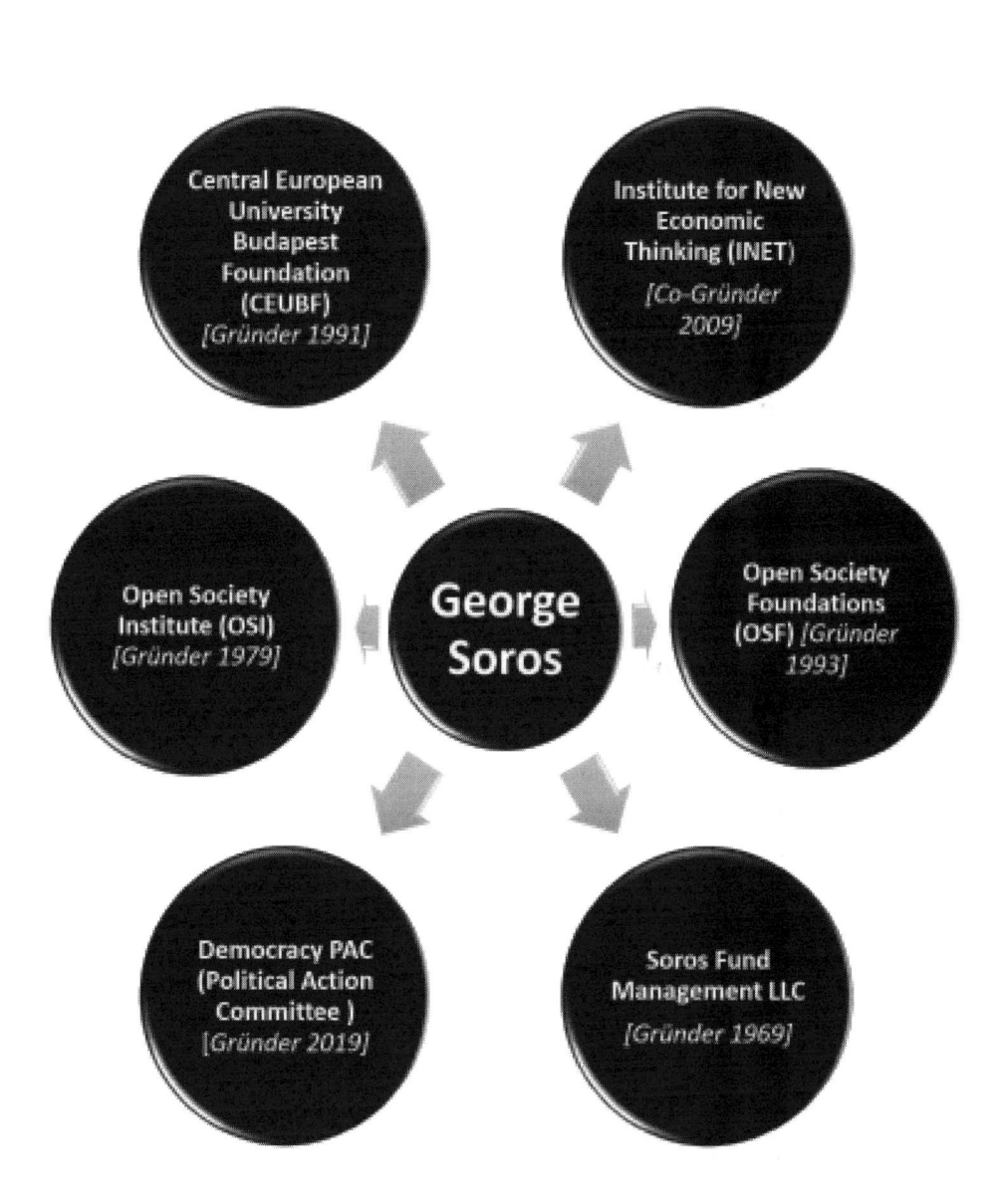

Central European University Budapest Foundation (CEUBF)
[Gründer 1991]

Institute for New Economic Thinking (INET)
[Co-Gründer 2009]

Open Society Institute (OSI)
[Gründer 1979]

George Soros

Open Society Foundations (OSF) *[Gründer 1993]*

Democracy PAC (Political Action Committee)
[Gründer 2019]

Soros Fund Management LLC
[Gründer 1969]

Hauptunterstützer Clintons war der schillernde und milliardenschwere Finanzinvestor George Soros. Er allein soll der bisherigen US-Außenministerin eine zweistellige Millionensumme gespendet haben.«[111)]

Die Organisation BEST OF BRITAIN erhielt 2018 500.000 Britische Pfund vom US-Milliardär George Soros. Die Organisation warb für den Verbleib Großbritanniens in der EU.[115)]

Die OSF (Soros) erwägt wegen der Alternative für Deutschland (AfD) ihr Engagement auch in Deutschland. Also will sich ein US-Milliardär in der deutschen Politik Einmischen, was er möglicherweise schon längst macht?

Im Juni 2019 äußerte die Direktorin der OPEN SOCIETY FOUNDATIONS in Berlin Selmin Caliskan: *»Wir schauen uns Möglichkeiten an, Akteure im Osten Deutschlands, die unsere Werte teilen, zu unterstützen«.*[112)]

Inwieweit nimmt Soros, bzw. seine Stiftung Einfluss auf deutsche Politik? Werfen wir einen Blick auf die Treffen zwischen Vertretern der Bundesregierung und George Soros, bzw. der OPEN SOCIETY FOUNDATIONS. Auf eine kleine Anfrage der AfD Franktion antworte die Bundesregierung unter anderem mit der nebenstehenden Tabelle.[113)]

Gerne ergänzen wir die Treffen:

16. Februar 2019: Annalena Baerbock trifft George Soros auf der Münchner Sicherheitskonferenz. Baerbock veröffentlichte ein gemeinsames Foto auf Instagram.[117)]

28. Februar 2022: Alexander Soros (Sohn von George Soros und jetzt Vorsitzender der OSF) veröffentlicht auf Instagram ein Foto von sich und Omid Nouripour (Vorsitzender von Bündnis 90/Die Grünen und Mitglied im Verteidigungsausschusses des Deutschen Bundestages).[120)]

17. Januar 2023: Alexander Soros veröffentlicht ein Foto von sich und Omid Nouripour (Vorsitzender von Bündnis 90/Die Grünen und Mitglied im Verteidigungsausschusses des Deut-

Datum des Termins	Teilnehmer Bundesregierung	Teilnehmer extern (außer George Soros)	Ort des Treffens	Inhalte des Gesprächs
31.05.2012	Bundesminister Dr. Philip Rösler	Michael Vachon (Chief Advisor)	Berlin	Europa, Hedgefonds
24.01.2019	Bundesminister Peter Altmaier		Davos	Politische Situation in Deutschland und Europa
08.06.2017	Staatsminister Michael Roth	Vertreterinnen und Vertreter des Auswärtigen Amtes, der Open Society Foundation und des Europarates	Berlin	Minderheitsrechte in Europa
29.05.2018	Staatsminister Michael Roth	Vertreterinnen und Vertreter des Auswärtigen Amtes, der Open Society Foundation	Paris	Politische Lage auf dem Westbalkan, ERIAC European Roma Institute for Arts and Culture
24.09.2018	Staatsminister Michael Roth	Vertreterinnen und Vertreter des Auswärtigen Amtes, der Open Society Foundation	New York	Politische Lage auf dem Westbalkan, ERIAC European Roma Institute for Arts and Culture
26.06.2018	Staatssekretär Wolfgang Schmidt		Berlin	Allgemeiner Austausch sowie Austausch zur wirtschaftlichen Zusammenarbeit mit Afrika
21.11.2018	Bundesministerin Dr. Katarina Barley	Vertreterinnen und Vertreter des Bundesministeriums der Justiz und für Verbraucherschutz und der Open Society Foundation	Berlin	Bedeutung einer lebendigen Zivilgesellschaft und der mögliche Beitrag von Stiftungen

schen Bundestages) in freundschaftlicher Umarmung auf dem Weltwirtschaftsforum in Davos, 16.-20. Januar 2021 auf seiner Instagram-Seite.[119)]

18. Februar 2023: Alexander Soros veröffentlicht auf Instagram ein Foto von sich mit Lars Klingbeil, Bundesvorsitzender der SPD und Mitglied des Deutschen Bundestages. Das Foto entstand vermutlich auf der Münchner Sicherheitskonferenz.[118)]

22. Februar 2023: Bundeslandwirtschaftsminister Cem Özdemir, Bündnis 90/Die Grünen und der Bundesminister für besondere Aufgaben, Wolfgang Schmidt, SPD, haben sich am 22. Februar 2022 mit Alexander Soros, Vorsitzender der OPEN SOCIETY FOUNDATIONS, zu Gesprächen im Bundesministerium für Ernährung und Landwirtschaft sowie im Bundeskanzleramt getroffen.[114)]

28. März 2023: Der Beauftragte der Bundesregierung für Religions- und Weltanschauungsfreiheit, Frank Schwabe (SPD), traf sich am 28. März 2023 mit Vertretern der OPEN SOCIETY FOUNDATIONS im Deutscher Bundestag.[116)]

Im Lobbyregister des Deutschen Bundestages für die Interessenvertretung gegenüber dem Deutschen Bundestag und der Bundesregierung finden wir die OSF SERVICES BERLIN GMBH. Diese wurde 2018 als regionaler Hauptsitz innerhalb des Netzwerks der OPEN SOCIETY FOUNDATIONS in Berlin gegründet. Interessant wäre in diesem Zusammenhang, wie oft und mit wem sich die Lobbyisten der OSF SERVICES BERLIN GMBH im Deutschen Bundestag und außerhalb treffen.[121)]

Wer bekommt in Deutschland Geld von der Open Siciety Foundations?

Wikimedia Deutschland e.V.

WIKIMEDIA DEUTSCHLAND E.V. in Berlin erhielt 2021 von der OPEN SOCIETY FOUNDATIONS 200.000 US-Dollar.[124] Die WIKIMEDIA FOUNDATION in den USA ist Eigentümer des Internetportals WIKIPEDIA.[123]

Hallo Bundestag

Das Projekt HALLO BUNDESTAG ist eine Initiative, getragen vom Verein DEMOKRATIE INNOVATION E.V. Es bringt ausgeloste Menschen mit der Politik in Austausch. Unterstützt wird dieses Projekt von der OPEN SOCIETY FOUNDATIONS, sowie der Bundeszentrale für politische Bildung.[122]

ECCHR - European Center for Constitutional and Human Rights e.V.

Das ECCHR hat laut Offenlegung des OSF-Finanzberichts im Jahr 2021 100.000 US-Dollar von der OPEN SOCIETY FOUNDATIONS bekommen.[125]

Gegen-antifeminismus.de

GEGEN-ANTIFEMINISMUS.DE ist ein Projekt der AMADEU ANTONIO STIFTUNG und es wurde durch eine Förderung der OPEN SOCIETY FOUNDATIONS ermöglicht.[126]

Engagierte stärken! Ostdeutschland für demokratische Kultur

Die Förderinitiative ENGAGIERTE STÄRKEN! OSTDEUTSCHLAND FÜR DEMOKRATISCHE KULTUR 2020 UND 2021 ist ein Gemeinschaftsprojekt der OPEN SOCIETY FOUNDATIONS und der AMADEU ANTONIO STIFTUNG. Die OPEN SOCIETY FOUNDATIONS und die AMADEU

ANTONIO STIFTUNG stellen dafür insgesamt eine halbe Million Euro bereit.[127)]

Neue deutsche Medienmacher*innen e.V.

Mehrere Projekte des Vereins wurden durch die OPEN SOCIETY FOUNDATIONS gefördert.[128)] Der Verein führt u. a. Medientraining durch.

Correctiv

CORRECTIV wird betrieben von der Kapitalgesellschaft CORRECTIV – RECHERCHEN FÜR DIE GESELLSCHAFT GEMEINNÜTZIGE GMBH mit Sitz in Essen und Berlin, die auch die Journalistenschule REPORTERFABRIK betreibt.[138)]

Interessant werden die Rechercheergebnisse, wenn man beachtet, dass die OPEN SOCIETY FOUNDATIONS, das Recherchezentrum in den Jahren 2016-2021 mit 419.513,82 Euro unterstützt hat.[139)]

Deutsche Gesellschaft für Auswärtige Politik (DGAP)

Die DEUTSCHE GESELLSCHAFT FÜR AUSWÄRTIGE POLITIK wird laut eigener Internetseite mit mehr als 100.000 Euro von der OPEN SOCIETY FOUNDATIONS unterstützt.[129)]

Der großzügige Spender George Soros übertrug 2017 einen Großteil seines Vermögens (18 Milliarden US-Dollar) an seine Stiftung. War es nur eine gute Tat? Die Tageszeitung »Die Welt« schrieb dazu:

»Denn der wichtigste Beweggrund dafür dürfte sein, drohende Steuerzahlungen zu umgehen. Im Jahr 2008, auf dem Höhepunkt der Finanzkrise, hatte der US-amerikanische Kongress ein Steuerschlupfloch für Hedgefonds geschlossen und diesen zehn Jahre Zeit gegeben, bis zum 31. Dezember 2017, Steuern nachzuzahlen. Durch die Übertragung des Vermögens in eine Stiftung versucht Soros dies nun – wie viele andere Vermögende auch – zu umgehen.«[140)]

Kritik aus Israel:
Kampagnen des globalen Chaos

Kritik an George Soros wird - wenn die Gegenargumente nicht mehr reichen - schlichtweg als Verschwörungstheorie oder Antisemitismus abgespeist. Dabei spielt es wahrlich gar keine Rolle, welcher Religion Soros angehört. Wäre er Christ oder Buddhist, bekäme er von uns die gleichlautende Kritik. Um dem Argument des Antisemitismus noch eines entgegen zu setzen bringen wir nachfolgend einige Auszüge aus der »Jerusalem Post« vom 22. August 2016.

Die Autorin Caroline B. Glick wanderte 1991 aus den USA nach Israel aus. Sie schreibt unter anderem für »Israel Hayom« und der »Jerusalem Post«.[130]

Der Artikel von ihr leitet mit den Worten über George Soros ein:

»Keine Ecke des Globus ist von seinen Bemühungen unberührt. Kein Politikbereich bleibt unberührt.«

Es hat sie beschäftigt, warum die im Jahr 2016 »geleakten« Dokumente aus der OPEN SOCIETY FOUNDATIONS in den USA kaum Erwähnung in den Medien fanden. Dazu sei angemerkt, dass sich auch in Deutschland kaum jemand in den Medien mit den DCLeak-Dokumenten auseinandersetzte.

Caroline B. Glick in ihrem Artikel in der »Jerusalem Post«:

»Soros' massive Finanzierung von linksextremen Gruppen in den USA und in der ganzen Welt ist seit mehr als einem Jahrzehnt dokumentiert. Wenn man jedoch die Bedeutung der umfassenderen Geschichte nicht erkennt, weil viele Details bereits bekannt waren, fehlt der Wald vor lauter Bäumen. DCLeaks Dokument-Dump ist eine große Geschichte, weil es den Wald von Soros Finanzierungsnetzwerke entlarvt.«

Die Aktivitäten eines George Soros und seiner OSF sind nur vordergründig und oberflächlich betrachtet guten Absichten um besonders die politische Linke und Linksextreme zu überzeugen. Wer genauer recherchiert wird eines besseren belehrt.

Caroline Glick: *»Oberflächlich betrachtet scheint die große Anzahl von Gruppen und Menschen, die er unterstützt, nichts miteinander zu tun zu haben. Denn was hat der Klimawandel mit der illegalen afrikanischen Einwanderung nach Israel zu tun? Was hat Occupy Wall Street mit der griechischen Einwanderungspolitik zu tun? Aber Tatsache ist, dass Soros-unterstützte Projekte grundlegende gemeinsame Attribute teilen.«*

Was haben sie gemeinsam?

»Sie alle arbeiten daran, die Fähigkeit der nationalen und lokalen Behörden in westlichen Demokratien [dahingehend] zu ▮▮▮▮▮▮▮▮▮▮, die Gesetze und Werte ihrer Nationen und Gemeinschaften aufrechtzuerhalten.«

»Sie tun dies im Namen der Demokratie, der Menschenrechte, der wirtschaftlichen, rassischen und sexuellen Gerechtigkeit und anderer erhabener Ausdrücke.«

»Mit anderen Worten, ihr Ziel ist es, westliche Demokratien zu ▇▇▇▇▇▇▇ und es Regierungen unmöglich zu machen, die Ordnung aufrechtzuerhalten oder Gesellschaften ihre einzigartigen Identitäten und Werte zu bewahren.«

Detailliert am Beispiel Flüchtlingspolitik stellt sie fest:

»Auch in Israel lehnt Soros die Bemühungen der Regierung ab, die illegale Einwanderung aus Afrika über die Grenze zu Ägypten zu beenden. Im Mittelpunkt des Vorstoßes für die Legalisierung der ungehinderten Einwanderung steht die Vorstellung, dass Staaten nicht in der Lage sein sollten, ihre nationale Identität zu schützen.«

An die westlichen Staaten gerichtet:

»Die Völker des Westens müssen die gemeinsamen Grundlagen aller Taten Soros' erkennen. Sie müssen auch erkennen, dass die einzige Antwort auf diese vorsätzlichen ▇▇▇▇▇▇▇ darin besteht, dass sich die Menschen des Westens für ihre nationalen Rechte und ihr individuelles Recht auf Sicherheit einsetzen. Sie müssen bei den nationalen Institutionen stehen, die diese Sicherheit im Einklang mit der Rechtsstaatlichkeit gewährleisten, und ihre nationalen Werte und Traditionen wahren und verteidigen.«[131)]

Dem ist nichts hinzuzufügen.

Kritik aus Russland:
Soros-Stiftung verfassungsfeindlich

George Soros am 4. April 2015:

»Die neue Ukraine ist immer noch lebendig und gewillt, sich zu verteidigen. Obwohl die Ukraine, auf sich gestellt, der russischen Militärmacht nicht standhalten kann, könnten sich ihre Verbündeten entscheiden, „alles was nötig ist" zu tun, um zu helfen – bis auf die Teilnahme an einer direkten militärischen Konfrontation mit Russland oder die Verletzung des Abkommens von Minsk. Dies würde nicht nur der Ukraine helfen, sondern auch der EU, die damit ihre verloren geglaubten Werte und Prinzipien wiedererlangen könnte. Dies ist natürlich mein bevorzugtes Szenario.«[132]

Rund 3 Monate später, am 8. Juli 2015 hatte der russische Senat die OPEN SOCIETY FOUNDATIONS in eine Liste von Organisationen aufgenommen, die der Regierung vorgelegt werden sollten, um nach einem aktuellen Gesetz, als »unerwünscht« eingestuft zu werden.[133]

»Es ist festgestellt worden, dass die Aktivitäten der Open Society Foundations und der Open Society Institute Assistance Foundation eine Bedrohung für die Grundlagen des russischen Verfassungssystems und die Staatssicherheit darstellen«, sagte die Sprecherin der russischen Generalstaatsanwaltschaft, Marina Gridneva.[134]

Marina Gridneva erklärte daraufhin, dass *»die Informationen über die getroffene Entscheidung an das russische Justizministerium gesendet wurden, um diese Organisationen in die Liste der ausländischen und internationalen NGOs aufzunehmen, deren Aktivitäten in Russland als unerwünscht gelten«*.[135]

Hintergrund: Dass der US-amerikanische Milliardär George Soros in Osteuropa polarisiert, ist keine Neuheit. Ebenso wenig, dass Soros die »Maidan-Revolution« 2014 unterstützt hat. Auslöser des »Regime change« war die Erklärung der ukrainischen Regierung, das Assoziierungsabkommen mit der Europäischen Union vorerst nicht unterzeichnen zu wollen, verbunden mit der Forderung, den prorussischen ukrainischen Präsidenten Wiktor Janukowytsch zu stürzen.

Ihren Einfluss in der Ukraine ließen sich Soros und die OSF 1994-2013 mehr als 200 Millionen US-Dollar Kosten.[136]

In einem Interview mit CNN am 25. Mai 2014 - wenige Wochen nach dem »Regime change« - sagte George Soros: *»Ich habe in der Ukraine schon vor deren Unabhängigkeit eine Stiftung gegründet. Sie hat seither funktioniert und spielte eine große Rolle bei den jetzigen Ereignissen«*.[137]

George Soros dankt ab
Die Freude ist nur kurzlebig

Am 11. Juni 2023 äußerte sich der 92-jährige George Soros in einem Interview mit dem Wall-Street-Jounal, dass er das Zepter an seinen Sohn Alexander Soros übergibt.[142] Die Freude darüber, dass er seinen Posten räumt, mag groß sein, aber leider nur von kurzer Dauer, wenn man sich näher mit der Person Alexander Soros beschäftigt.

Wer ist Alexander Soros?

Alexander (Alex) Soros (geboren am 27. Oktober 1985) arbeitete bereits 2004 und 2006 für die OPEN SOCIETY FOUNDATIONS.[143] Danach war er stellvertretender Vorsitzender der OPEN SOCIETY FOUNDATIONS[144] und ist jetzt ihr Vorstandsvorsitzender.[145]

»Er sei "politischer" als sein Vater«, äußerte Alexander Soros, weiter: *»Ich wünschte, dass Geld nicht so eine große Rolle in der Politik spielen würde, aber solange die andere Seite es tut, müssen auch wir es weiter tun«*. Er

gibt zu verstehen, dass unter seiner Leitung die Stiftung den Weg seines Vaters fortführen und Demokratien sowie Persönlichkeiten der politischen Linken in den USA unterstützen wird.[143]

Er ist Gründungsvorsitzender der BEND THE ARC JEWISH ACTION und sitzt im Vorstand des BARD COLLEGE, des CENTER FOR JEWISH HISTORY, der CENTRAL EUROPEAN UNIVERSITY, des EUROPEAN COUNCIL ON FOREIGN RELATIONS und der INTERNATIONAL CRISIS GROUP.[145]

Alexander Soros ist »Young Global Leaders« 2018 des WORLD ECONOMIC FORUM (Weltwirtschaftsforum).[146]

Er ist Vorsitzender von DEMOCRACY PAC, der Soros-Gruppe, die politische Kampagnen finanziert, des Weiteren ist er das einzige Familienmitglied im Investitionsausschusses vom SOROS FUND MANAGEMENT, der die Finanzierung sowohl der OPEN SOCIETY FOUNDATIONS als auch der Soros-Familie überwacht. Der grösste Teil der 25 Milliarden Dollar des Soros-Fonds wird in den kommenden Jahren in die OPEN SOCIETY FOUNDATIONS fließen.[147]

Artikel von ihm sind in in der New York Times, dem Guardian, der New York Daily News, Reuters und anderen Publikationen erschienen.[145]

Laut Aufzeichnungen hat Alexander Soros inzwischen mindestens 20 Mal das Weiße Haus von Präsident Joe Biden besucht. Ende März nahm er an drei Treffen mit Nina Srivastava teil, die zuvor als Beraterin für Bidens ehemaligen Stabschef Ron Klain fungierte. Desweiteren traf er sich laut kürzlich veröffentlichten Besucherprotokollen mit

Amanda Sloat, leitende Direktorin des Nationalen Sicherheitsrats für Europa und Jon Finer, der wichtigste stellvertretende nationale Sicherheitsberater. Das Ziel der Gespräche bleibt unklar. Das Weiße Haus antwortete nicht auf Anfragen zu diesem Thema.[148)]

Seit der Übernahme des Imperiums reist er viel herum und trifft sich mit Spitzenfunktionären der Demokraten, dem ehemaligen Präsidenten Bill Clinton und nimmt sogar an Treffen mit Papst Franziskus teil. Laut einem Instagram-Beitrag organisierte er eine Veranstaltung mit dem Minderheitsführer im US-Repräsentantenhaus, Hakeem Jeffries, und anderen führenden New Yorker Demokraten, darunter den Abgeordneten Jerry Nadler und Gregory Meeks.[148)]

Am 6. Juni 2023 veröffentlichte er ein Foto mit Vizepräsidentin Kamala Harris und schrieb: *»Schön, dass ich mich kürzlich mit Frau Vizepräsidentin [Kamala Harris] unterhalten habe!«*[149)]

Eine seiner wichtigsten Aufgaben siehe er darin, gegen eine Wiederwahl von Ex-Präsident Donald Trump anzukämpfen.[142)]

Soros Funds und
»Soros Fund Management LLC«

1959 kam George Soros als Analyst, für europäische Wertpapiere, zu WERTHEIM & CO. Von 1963 bis 1973 arbeitete er für ARNHOLD AND S. BLEICHROEDER INVESTMENT BANK und sammelte hier Erfahrungen als Vizepräsident. 1966 brachte er mit 100.000 US-Dollar Eigenkapital einen eigenen Fond heraus.

Im Jahr 1969 startete er bei der ARNHOLD AND S. BLEICHROEDER INVESTMENT BANK den DOUBLE EAGLE HEDGE FOND, mit 4 Mio. US-Dollar, davon 250.000 US-Dollar eigenes Kapital.[160]

1973 gründete George Soros gemeinsam mit Jim Rogers den SOROS FUNDS der später in QUANTUM FUNDS umbenannt wurde. Ende 1986 umfasste der Fonds einen Wert von 1,5 Milliarden US-Dollar.[153]

Dieser Hedgefonds befand sich im Ausland, was bedeutet, dass sein nomineller Sitz außerhalb der Vereinigten Staaten auf der Insel Curaçao auf den Niederländischen Antillen lag.

Dies besagt, dass der Fonds von der US-Kapitalertragssteuer und den meisten Bundesvorschriften befreit war[154] und nicht der US-Börsenaufsicht unterlag.

George Soros erzielte 1988 mit dem Handel von Wertpapieren bei der französischen »Société Générale« etwa 2,2 Mrd. US-Dollar Spekulationsgewinne, die er jedoch wegen Insiderhandel als Strafe wieder zurück zahlenmusste.[160]

1991 gründete Soros den QUASAR INTERNATIONAL FUND, 1994 den QUANTUM EMERGING GROWTH FUND und den QUOTA FUND. Der QUANTUM REALTY FUND wurde 1993 und 1994 die QUANTUM INDUSTRIAL HOLDINGS gegründet.[155]

Der QUANTUM FUND verzeichnete 1993 einen Zuwachs von 61,5 Prozent und brachte Soros laut Financial World 1,1 Milliarden US-Dollar ein. Damit war er der erste Amerikaner, der mehr als 1 Milliarde US-Dollar pro Jahr verdiente.[156]

Im Sommer 1998 gab es sechs Fonds mit einem Bruttovermögen von etwa 21,5 Milliarden US-Dollar. Zu Beginn des Jahres 1998 verfügte der QUANTUM FUND über ein Nettovermögen von 5,54 Milliarden US-Dollar; QUANTUM EMERGING GROWTH, 1,82 Milliarden US-Dollar; QUOTA FUND: fast 1,7 Milliarden US-Dollar; und QUASAR INTERNATIONAL, 1,21 Milliarden US-Dollar. Anteile dieser Fonds wurden in London gehandelt. Soros' Privatvermögen wurde 1997 auf 5 Milliarden Dollar geschätzt.[159]

Um eine Registrierung bei der U.S. SECURITIES AND EXCHANGE COMMISSION (SEC) zu vermeiden, kündigte der QUANTUM FUND im Juli 2011 an, den Fonds in eine Familieninvestitionsgruppe umzuwandeln und bis zum Ende 2011 alle Fremdanlagen an die Anleger zurückzugeben. Der Fonds verwaltet nun das Familienvermögen von Soros und arbeitet mit Privatanlegern zusammen.[160]

U.S. SECURITIES AND EXCHANGE COMMISSION (SEC) ist eine unabhängige US-Behörde. Zweck der SEC ist die Durchsetzung des Rechts gegen Marktmanipulation.

Soros Fund Management

Die zuvor genannten Funds wurden von George Soros über seine Firma SOROS FUND MANAGEMENT (SFM) beraten. SFM wurde 1970 von George Soros gegründet.

SOROS FUND MANAGEMENT hatte 1994 damit begonnen, aktiv in Osteuropa und der ehemaligen Sowjetunion zu investieren. Bis zum Herbst 1997 wurden mehr als 2,5 Milliarden US-Dollar der Mittel des Unternehmens in russische Unternehmen investiert.[158]

SFM wurde 1997 in eine Limited Liability Company, LLC (Gesellschaft mit beschränkter Haftung) und mit einem dreiköpfigen Verwaltungsausschuss, bestehend aus Soros, Stanley Druckenmiller und Gary Gladstein umgewandelt.[157]

SOROS FUND MANAGEMENT LLC ist der Hauptvermögensverwalter der OPEN SOCIETY FOUNDATIONS. Heute besteht die Aufgabe vom (SFM) darin, die Ressourcen der Open Society zu schützen und zu erweitern. SFM investiert weltweit in eine breite Palette von Strategien und Anlageklassen, darunter öffentliche Aktien, festverzinsliche Wertpapiere, Rohstoffe, Devisen und alternative Anlagen.[141]

Der (SFM) verfügt heute über Niederlassungen in New York, London, Dublin und Hongkong.[151]

Er verwaltet derzeit ein Vermögen von rund 6,4 Milliarden US-Dollar, und Soros selbst verfügt über ein geschätztes Nettovermögen von 6,7 Milliarden US-Dollar.[152]

Soros ist ein sehr aktiver Portfolio-Manager (Portfolio = Bestand an Wertpapieren) und Spekulant. Er nutzt Schulden und wettet mit vollem Risiko, er kauft und verkauft schnell.

Das erschwert unsere Arbeit an diesem Buch ungemein. Kurz nachdem ein Portfolio von Soros veröffentlicht wurde, kann es bereits wieder überholt sein. So hatten wir uns schon 2020 mit seinem Portfolio beschäftigt, um uns kritisch mit den Investitionen des Godfathers der Klima-Aktivisten auseinander zu setzen. Schließlich scheinen seine Jünger mehr damit beschäftigt zu sein, jede Kritik an Soros als Verschwörungstheorie darzustellen und sich auf der Straße festzukleben, als sich selbst tatkräftig an eine Umsetzung für eine grünere Umwelt zu betätigen.

Um einer Verleumdung (Verschwörungstheoretiker) den Wind aus den Segeln zu nehmen, hatten wir das Portfolio des SOROS FUND MANAGEMENT im Jahr 2020 ausführlich unter die Lupe genommen. 2020, also mehr als zehn Jahre nachdem Soros bekannt gemacht hat, dass er in erneuerbare Energien investiert und seine Jünger ihn feierten. Im Schaubild auf Seite 79 ist ersichtlich, dass Soros 2020 tatkräftig auch in Öl- und Gas-Konzerne, sowie in Energieunternehmen mit Atom- und Kohlekraftwerken investierte. In seinem aktuellen Portfolio vom zweiten Quartal 2023 ist davon lediglich ENTERPRISE PRODS PARTNERS vorhanden, dafür aber andere Unternehmen, die z.B. Öl- und Gaspipelines betreiben.

Aktienanteil der »Soros Fund Management LLC« an Energieunternehmen mit AKWs und KKWs (Stand 31.03.2020)

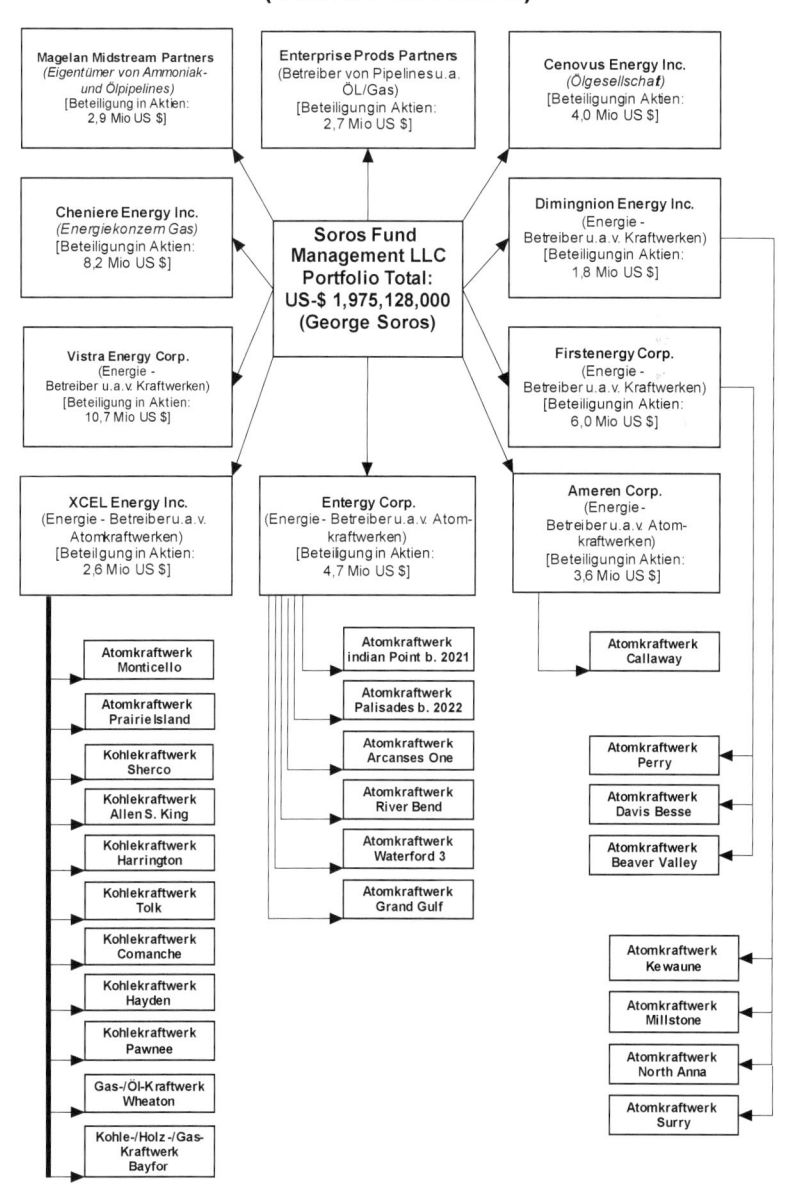

Soros Fund Management LLC
Portfolio Total:
US-$ 1,975,128,000
(George Soros)

Magelan Midstream Partners
(Eigentümer von Ammoniak- und Ölpipelines)
[Beteiligung in Aktien: 2,9 Mio US $]

Enterprise Prods Partners
(Betreiber von Pipelines u.a. ÖL/Gas)
[Beteiligung in Aktien: 2,7 Mio US $]

Cenovus Energy Inc.
(Ölgesellschaft)
[Beteiligung in Aktien: 4,0 Mio US $]

Cheniere Energy Inc.
(Energiekonzern Gas)
[Beteiligung in Aktien: 8,2 Mio US $]

Dimingnion Energy Inc.
(Energie - Betreiber u.a.v. Kraftwerken)
[Beteiligung in Aktien: 1,8 Mio US $]

Vistra Energy Corp.
(Energie - Betreiber u.a.v. Kraftwerken)
[Beteiligung in Aktien: 10,7 Mio US $]

Firstenergy Corp.
(Energie - Betreiber u.a.v. Kraftwerken)
[Beteiligung in Aktien: 6,0 Mio US $]

XCEL Energy Inc.
(Energie - Betreiber u.a.v. Atomkraftwerken)
[Beteilgung in Aktien: 2,6 Mio US $]

Entergy Corp.
(Energie - Betreiber u.a.v. Atomkraftwerken)
[Beteiligung in Aktien: 4,7 Mio US $]

Ameren Corp.
(Energie - Betreiber u.a.v Atomkraftwerken)
[Beteiligung in Aktien: 3,6 Mio US $]

XCEL Energy Inc.:
- Atomkraftwerk Monticello
- Atomkraftwerk Prairie Island
- Kohlekraftwerk Sherco
- Kohlekraftwerk Allen S. King
- Kohlekraftwerk Harrington
- Kohlekraftwerk Tolk
- Kohlekraftwerk Comanche
- Kohlekraftwerk Hayden
- Kohlekraftwerk Pawnee
- Gas-/Öl-Kraftwerk Wheaton
- Kohle-/Holz-/Gas-Kraftwerk Bayfor

Entergy Corp.:
- Atomkraftwerk Indian Point b. 2021
- Atomkraftwerk Palisades b. 2022
- Atomkraftwerk Arcanses One
- Atomkraftwerk River Bend
- Atomkraftwerk Waterford 3
- Atomkraftwerk Grand Gulf

Ameren Corp.:
- Atomkraftwerk Callaway

Firstenergy Corp.:
- Atomkraftwerk Perry
- Atomkraftwerk Davis Besse
- Atomkraftwerk Beaver Valley

Dimingnion Energy Inc.:
- Atomkraftwerk Kewaune
- Atomkraftwerk Millstone
- Atomkraftwerk North Anna
- Atomkraftwerk Surry

Diese Aktien hat die »Soros Fund Management LLC« in ihrem Depot (Stand 30.06.2023)[150]

Unternehmen	Wert in Tausend US-Dollar	Anteil im Depot in %
ISHARES TR	343,170	5.4%
HORIZON THERAPEUTICS PUB L	338,561	5.3%
INVESCO QQQ TR	314,007	4.9%
SPDR S&P 500 ETF TR	234,938	3.7%
DIGITALOCEAN HLDGS INC	172,858	2.7%
ALPHABET INC	170,462	2.7%
SEA LTD	161,667	2.5%
ISHARES TR	144,116	2.2%
SEA LTD	128,772	2.0%
SPLUNK INC	121,865	1.9%
LIBERTY BROADBAND CORP	111,344	1.7%
NIO INC	110,119	1.7%
MICROSTRATEGY INC	104,447	1.6%
SNAP INC	104,404	1.6%
AMAZON COM INC	100,254	1.6%
PDC ENERGY INC	99,131	1.5%
CLOUDFLARE INC	96,827	1.5%
WAYFAIR INC	95,867	1.5%
LYFT INC	89,966	1.4%
UNITY SOFTWARE INC	80,716	1.3%
PELOTON INTERACTIVE INC	78,790	1.2%
SNAP INC	78,550	1.2%
CONFLUENT INC	76,395	1.2%
RAPID7 INC	71,899	1.1%
LUMENTUM HLDGS INC	71,678	1.1%
RIVIAN AUTOMOTIVE INC	69,766	1.1%
SPLUNK INC	68,958	1.1%
IVERIC BIO INC	66,878	1.0%
NCL CORP LTD	66,699	1.0%
PDD HOLDINGS INC	65,848	1.0%
MICROSTRATEGY INC	65,708	1.0%
ISHARES TR	65,544	1.0%
SPDR INDEX SHS FDS	63,208	1.0%
OKTA INC	62,415	1.0%

DISH NETWORK CORPORATION	59,173	0.9%
ISHARES TR	56,302	0.9%
AERCAP HOLDINGS NV	53,436	0.8%
BLOCK INC	53,233	0.8%
ARAMARK	52,724	0.8%
CERIDIAN HCM HLDG INC	47,848	0.7%
ISHARES TR	46,817	0.7%
DISCOVER FINL SVCS	46,740	0.7%
WOLFSPEED INC	46,490	0.7%
AFFIRM HLDGS INC	45,510	0.7%
ARK ETF TR	44,140	0.7%
INTUIT	41,884	0.7%
FIVE9 INC	41,225	0.6%
ALTERYX INC	38,590	0.6%
FASTLY INC	38,040	0.6%
CBOE GLOBAL MKTS INC	36,269	0.6%
BOOKING HOLDINGS INC	35,104	0.5%
RENAISSANCERE HLDGS LTD	34,813	0.5%
MICROSTRATEGY INC	34,242	0.5%
BLACKLINE INC	34,057	0.5%
APTIV PLC	33,314	0.5%
FIVE9 INC	32,980	0.5%
UBER TECHNOLOGIES INC	32,548	0.5%
CONFLUENT INC	31,779	0.5%
KRANESHARES TR	31,449	0.5%
B. RILEY FINANCIAL INC	30,834	0.5%
FOCUS FINL PARTNERS INC	29,324	0.5%
LPL FINL HLDGS INC	29,243	0.5%
ALIBABA GROUP HLDG LTD	29,172	0.5%
MONGODB INC	28,769	0.4%
CELANESE CORP DEL	28,588	0.4%
ADVANCED MICRO DEVICES INC	28,477	0.4%
LENNAR CORP	28,194	0.4%
INDIE SEMICONDUCTOR INC	28,092	0.4%
FIVE9 INC	27,989	0.4%
AMERICAN AIRLS GROUP INC	26,910	0.4%
VULCAN MATLS CO	26,781	0.4%
CLOUDFLARE INC	26,148	0.4%
ISHARES TR	25,764	0.4%
ACCENTURE PLC IRELAND	25,569	0.4%
ISHARES INC	24,986	0.4%
NIKE INC	23,367	0.4%
ALTERYX INC	22,864	0.4%
ALTERYX INC	22,700	0.4%

NIO INC	21,204	0.3%
INTERACTIVE BROKERS GROUP IN	21,027	0.3%
VAIL RESORTS INC	19,858	0.3%
CRH PLC	19,505	0.3%
INTERPUBLIC GROUP COS INC	19,290	0.3%
LUMENTUM HLDGS INC	18,863	0.3%
LIVONGO HEALTH INC	18,162	0.3%
ACORDA THERAPEUTICS INC	17,500	0.3%
SEA LTD	17,412	0.3%
GENERAL MTRS CO	17,344	0.3%
ETSY INC	16,613	0.3%
RINGCENTRAL INC	16,365	0.3%
VANGUARD WORLD FDS	16,126	0.3%
FASTLY INC	15,731	0.2%
CME GROUP INC	14,995	0.2%
ALIBABA GROUP HLDG LTD	14,586	0.2%
WOLFSPEED INC	13,517	0.2%
BLACKLINE INC	13,455	0.2%
BLOCK INC	13,314	0.2%
BLOCK INC	13,314	0.2%
CLOUDFLARE INC	13,074	0.2%
WAYFAIR INC	13,002	0.2%
ZILLOW GROUP INC	12,395	0.2%
DIGITALOCEAN HLDGS INC	12,042	0.2%
BGC PARTNERS INC	12,037	0.2%
T-MOBILE US INC	12,014	0.2%
SNAP INC	11,840	0.2%
FORTIVE CORP	11,831	0.2%
SEA LTD	11,608	0.2%
LUMENTUM HLDGS INC	11,346	0.2%
WOLFSPEED INC	11,118	0.2%
WOLFSPEED INC	11,118	0.2%
DOORDASH INC	10,398	0.2%
PIONEER NAT RES CO	10,359	0.2%
SPDR SER TR	10,207	0.2%
CSX CORP	10,066	0.2%
DISH NETWORK CORPORATION	9,885	0.2%
IVERIC BIO INC	9,835	0.2%
OKTA INC	9,038	0.1%
QUALCOMM INC	8,850	0.1%
UNITY SOFTWARE INC	8,684	0.1%
AMETEK INC	7,628	0.1%
LENNAR CORP	7,612	0.1%
SPDR SER TR	7,316	0.1%

AMERICAN AIRLS GROUP INC	7,225	0.1%
ATLASSIAN CORPORATION	6,666	0.1%
FMC CORP	6,111	0.1%
ENERGY TRANSFER L P	6,067	0.1%
NORFOLK SOUTHN CORP	5,978	0.1%
ISHARES TR	5,630	0.1%
TOWER SEMICONDUCTOR LTD	5,628	0.1%
CORSAIR PARTNERING CORP	5,210	0.1%
BRIGHTSPHERE INVT GROUP INC	5,160	0.1%
SEMTECH CORP	5,092	0.1%
MAGELLAN MIDSTREAM PRTNRS LP	5,091	0.1%
ARES MANAGEMENT CORPORATION	5,019	0.1%
ENTERPRISE PRODS PARTNERS L	5,006	0.1%
PAYPAL HLDGS INC	5,004	0.1%
OKTA INC	4,927	0.1%
REGAL REXNORD CORPORATION	4,926	0.1%
DISH NETWORK CORPORATION	4,613	0.1%
RAYTHEON TECHNOLOGIES CORP	4,604	0.1%
MOBILEYE GLOBAL INC	4,588	0.1%
NVIDIA CORPORATION	4,230	0.1%
DISNEY WALT CO	4,142	0.1%
FIRST CTZNS BANCSHARES INC N	3,722	0.1%
MICROSOFT CORP	3,405	0.1%
THE BEAUTY HEALTH COMPANY	3,348	0.1%
JACOBS SOLUTIONS INC	3,077	0.0%
3-D SYS CORP DEL	2,979	0.0%
ROCKET COS INC	2,818	0.0%
PROTERRA INC	2,778	0.0%
BREAD FINANCIAL HOLDINGS INC	2,715	0.0%
WESTERN MIDSTREAM PARTNERS L	2,507	0.0%
SAVERS VALUE VLG INC	2,370	0.0%
ISHARES TR	2,005	0.0%
CANADA GOOSE HLDGS INC	1,780	0.0%
RINGCENTRAL INC	1,663	0.0%
FIGS INC	1,654	0.0%
SPDR SER TR	1,642	0.0%
RAPID7 INC	1,530	0.0%
TRANSPHORM INC	1,462	0.0%
HASHICORP INC	1,439	0.0%
EQUITRANS MIDSTREAM CORP	1,282	0.0%
TOWER SEMICONDUCTOR LTD	1,193	0.0%
MONGODB INC	1,027	0.0%
ICICI BANK LIMITED	993	0.0%
HDFC BANK LTD	823	0.0%

ITAU UNIBANCO HLDG S A	710	0.0%
CENTRAIS ELETRICAS BRASILEIR	473	0.0%
SELECT SECTOR SPDR TR	413	0.0%
INFOSYS LTD	405	0.0%
AMYRIS INC	376	0.0%
BLUE APRON HLDGS INC	145	0.0%

Es dürfte unmöglich sein, detailliert zu erfahren, was für Geschäftszweige sich hinter vielen Positionen verstecken. So ist das Finanzwesen mit 30 Prozent die bedeutendste Branche. Darunter finden sich Investmentfirmen, Banken und andere Finanzdienstleister, die wiederum in andere Unternehmen investieren, die, wenn überhaupt nur sehr schwer zu ermitteln sind und bei diesen schnellen Aktienkäufen und Verkäufen, wofür George Soros bekannt ist, sich täglich andern können.

Von Bedeutung ist auf jeden Fall sein Aktienpaket der Firma Alphabet Inc. (Google)

Alphabet Inc. ist die Muttergesellschaft der Internetgiganten Google und YouTube. Der SOROS-FONDS hält nun rund 1,42 Millionen Aktien im Wert von rund 170,5 Millionen US-Dollar.[161] Es stellt sich die Frage, wie stark er seinen Einfluss auf entsprechende Internetinhalte geltend machen kann.

Die AERCAP HOLDINGS N.V. ist ein niederländisches Unternehmen, eines der weltweit größten Flugzeugleasinggesellschaften mit 1.372 Flugzeugen im ersten Quartal 2020.[162]

So viel zum Thema Klimaschutz.

Auffällig ist die - dem Laien nichtssagende - erste Position im Soros-Portfolio.

ISHARES TR	343,170	5.4%

Dahinter verbergen sich Exchange Traded Funds, oder auf Deutsch börsengehandelte Indexfonds des Investmentgiganten BlackRock.[163] Mit über 10 Billionen US-Dollar[164] an verwaltetem Vermögen, ist BlackRock der weltgrößte Vermögensverwalter.[165] Dies entspricht etwa der halben Größe der Vermögenswerte aller Finanzunternehmen in Deutschland.[166]

BLACKROCK wird 2021 vorgeworfen, dass sie Kohleinvestments in Höhe von mindestens 85 Milliarden Dollar halten.[167] Klimaschutz?

BLACKROCK hatte Mitteilungen über gehaltene Stimmrechtsanteile und Finanzinstrumente inhaltlich verspätet oder nicht richtig abgegeben und damit gegen Vorschriften des Wertpapierhandelsgesetzes verstoßen. Die Bundesanstalt für Finanzdienstleistungsaufsicht (BaFin) hat gegen die BLACKROCK INVESTMENT MANAGEMENT (UK) LTD. 2015 ein Bußgeld in Höhe von 3,25 Mio. Euro festgesetzt.[168]

BLACKROCK hielt 2022 unter anderem folgende Aktienanteile an deutschen Unternehmen:

7,17 % an Bayer, 7,01 % an RWE, 7,00 % an Infineon, 6,97 % an Merck, 6,94 % an der Allianz, 6,59 % an der Deutsche Börse, 6,16 % an Siemens, 5,41 % an SAP, 5,23 % an der Deutsche Bank, 6,47 % an der Münchener Rück, 5,15 % an BASF, 4,91 % an der Deutsche Telekom, 4,88 % an der Mercedes-Benz Group, 4,84 % an E.ON, 4,77 % an der Deutsche Post, 4,74 % an Fresenius, 3,00 % an BMW, 2,99 % an Daimler Truck, 2,99 % an Beiersdorf und 2,98 % an der Hannover Rück.[169]

Vorsitzender des Aufsichtsrates der BLACKROCK ASSET MANAGEMENT DEUTSCHLAND AG war von 2016-2020[170] der heutige Bundestagsabgeordnete, Vorsitzender der CDU und Vorsitzender der CDU/CSU-Bundestagsfraktion und möglicherweise der künftige Kanzlerkandidat der CDU, Friedrich Merz.

Bei unseren Recherchen stießen wir unentwegt auf weitere Informationen über das Netzwerk der Klimaaktivisten und den

Aktien im »Soros Fund Management LLC«-Depot nach Branchengewichtung (Stand 30.06.2023)

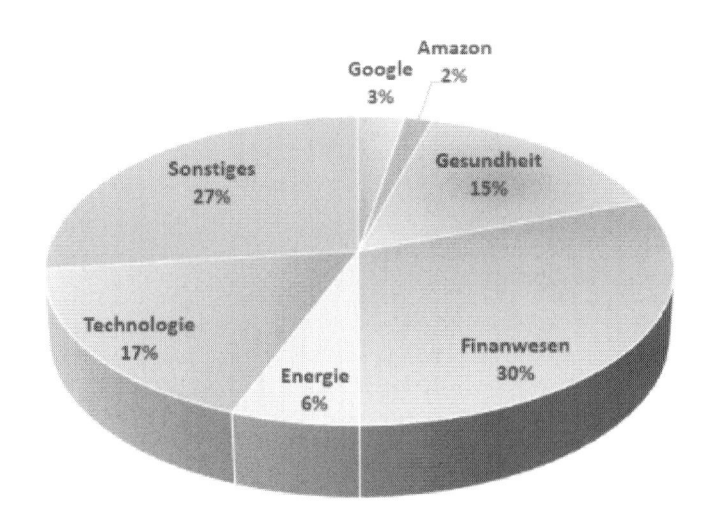

- Amazon 2%
- Google 3%
- Sonstiges 27%
- Gesundheit 15%
- Technologie 17%
- Energie 6%
- Finanwesen 30%

Geldgebern im Hintergrund. Wegen der ständigen Aktualisierungen und der begrenzt angekündigten Seitenzahl dieses Buches werden wir vieles davon auf eine mögliche ergänzte 2. Auflage verlegen müssen, die sicherlich um mehr als 100 Seiten aufgestockt wird. Bis dahin können Sie uns gerne Anregungen und Hinweise dazu an unsere Adresse vorne im Buch senden. Natürlich sind auch Vorbestellungen erwünscht und trotz aller Preissteigerungen wird der Preis für die 2 Auflage (broschiert) unter 30 Euro liegen.

Überleitung

Bisher Geschriebenes klingt wahrscheinlich für einige Leser unglaublich. Das Muster trägt jedoch die gleiche Handschrift, wie die »Regime changes« in Osteuropa, die lange und gut vorbereitet waren. Interessanterweise mit identischen Regisseuren, nur mit anderen Statisten.

Die Aktionsformen: gewaltfreier Wiederstand und viel Geld.

Die Geldgeber: US-Millionäre und Milliardäre.

Dazu ein ausgebautes Mediennetzwerk und willige NGO's.

Bei all diesen »Regime changes« tauchen neben einigen NGO's regelmäßig zwei Namen auf: Die OPEN SOCIETY FOUNDATION und Geoge Soros, die nicht nur für die nötige Finanzierung, sondern auch für entsprechende Ausbildungen sorgten. Was hier unperfekt die Fahrt aufgenommen hat, findet bei ihrem Wirken in Sachen Klimapolitik ihre Perfektion. Wenn George Soros zum Ende 2023 sein gigantisches Netzwerk an seinem sehr links orientierten Sohn Alexander Soros übergibt, werden die Geschäfte und Aktionen sicherlich weitergehen.

Nachfolgend dokumentieren wir in Kürze die Ereignisse in Osteuropa und wie die OPEN SOCIETY FOUNDATIONS/ George Soros in Osteuropa gewirkt haben, damit der Leser die entsprechende Muster erkennen kann. Seinem Wunschziel einer sogenannten »Offenen Gesellschaft« scheint Soros ein Stück näher gekommen zu sein. Gefährliche Nebenwirkung: Ein Krieg in Europa mit der Gefahr des Einsatzes von Atomwaffen und vielen Toten. Fakt ist, dass der Autokrat Wladimir Putin im Kremel von jeden Laien genauso eingeschätzt werden konnte, wie er sich später verhalten hat.

2022 zeigte uns am Beispiel der Ukraine, dass wohl dort etwas gewaltig schiefgelaufen ist. Daher wird man das erdrückende Gefühl nicht los, dass wir hier eine Reihe von Falschinformationen und Irreführungen erlegen sind.

Aber was sind die wahren Hintergründe dieser Regimewechsel in Osteuropa, dieses unaufhaltsamen Demokratismus? Und wer waren die Akteure, die hier am Werk waren?

Nur Bruchstückhaft gelangte das eine oder andere an Hintergrundinformationen an die Öffentlichkeit. Bevor eine solche Information von den Menschen wahrgenommen wurde, waren diese mit einer Fülle irrwitziger Desinformationen angereichert, dass kaum ein Kritiker sich traute, diese lächerlichen Konstrukte auch nur annähernd zur eigenen Recherche in Erwägung zu ziehen.

Vielleicht hätte ein Untersuchungsausschuss oder ein Internationaler Gerichtshof uns Einblick in die Welt des Geheimen und Verborgenen gegeben. Wahrscheinlich auch Aktivisten und Hintermänner entlarvt.

Wir stellen heute fest, dass die Berichterstattung (veröffentlichte Meinung) in den seltensten Fällen hinterfragt wird. Lediglich die für die Herrschenden unliebsame Fakten werden von - scheinbar unabhängigen - Organisationen geprüft, beziehungsweise von Meinungsmachern für dubiose Hintermännern.

Die Bevölkerung glaubt der veröffentlichten Meinung blind, insbesondere wenn sie von sogenannten Qualitätsmedien kommt, danach erleben sie Flüchtlingsströme aus Afrika, einen Krieg in der Ukraine und ein völliges Desaster in Afghanistan. Alles nur »Kollateralschäden«?

Die Revolutions-Maschinerie und die Zerstörung der Welt

Was im Jahr 2000 in Serbien, 2003 in Georgien, 2004 in der Ukraine, 2011 in Tunesien, Ägypten, Libyen und 2014 in der Ukraine geschah, schien jeweils wie ein spontaner Volksaufstand. Die Wirklichkeit ist jedoch anders.

Alles war sorgfältig von Organisationen geplant, die dabei auch US-amerikanische Hilfe, geheimdienstliche Aktivitäten und das Geld des Großkapitals nicht scheuten, oder vielleicht sogar aus Überzeugung die Interessen der USA vertraten.

Regimewechsel in Serbien

Nach dem Ende des Krieges in Jugoslawien war der kommunistische Diktator und Kriegsverbrecher Slobodan Milosevic im Jahr 2000 immer noch Staatspräsident von Jugoslawien/Serbien. Die Assimilierung Serbiens in die westliche Welt ist somit trotz NATO-Angriffs (völkerrechtlich bis heute umstritten),[170] noch nicht vollzogen und die EU-Erweiterung mit Serbien ließ noch einige Jahre auf sich warten. Es mussten also andere Wege gefunden werden, um die EU-Expansion Richtung der russischen Grenze voran zu treiben und Serbien zumindest für eine NATO-Partnerschaft zu gewinnen.[170b)]

Es begann 1998 in Jugoslawien/Serbien. In Belgrad wurde die Widerstandsgruppe OTPOR! gegründet. Scheinbar eine kleine studentische Oppositionsgruppe. Aber was steckte wirklich dahinter? Die Los Angeles Times schrieb: *»Soros' branch in Belgrade, the Yugoslav and Serbian capital, was among the earliest backers of Otpor [...] „We gave them their first grant back in 1998, when they appeared as a student organization," said Ivan Vejvoda, executive director of the Fund for an Open Society-Yugoslavia, the network's branch here.«*[171)]

[*»Soros' Zweigstelle in Belgrad, der jugoslawischen und serbischen Hauptstadt, gehörte zu den frühesten Unterstützern von Otpor [...] „Wir haben ihnen 1998 ihr erstes Stipendium gewährt, als sie als Studentenorganisation auftraten", sagte Ivan Vejvoda, Geschäftsführer der Open Society-Yugoslavia, der Zweigstelle des Netzwerks hier.«*]

In kürzester Zeit wurde OTPOR! zu einem aktiven Sprachrohr im Kampf gegen das Miloševiæ-Regime in Serbien. So hatte OTPOR! auch einen entscheidenden Anteil am Sturz Slobodan Milosevic' am 5. Oktober 2000.

Nach dem Sturz des kommunistischen Diktators Milosevic sind einige OTPOR!-Aktivisten in die Politik gewechselt. Sie besetzten Ministerposten, wurden Staatssekretäre oder Direktoren von Staatsbetrieben. Der Kopf von OTPOR!, Srdja Popovic, wurde Parlamentarier und Berater von Ministern in Serbien. OTPOR! hatte ihren Zweck erfüllt.[172)]

Die anschließend regierenden Demokraten mit den ehemaligen OTPOR!-Aktivisten in ihren Reihen wollten von der Macht nicht mehr lassen und wurden selbst korrupt. Das Unmögliche kam 2008: Um weiter an der Regierung in Serbien zu bleiben, schlossen die regierenden Demokraten eine Regierungskoalition mit den geächteten Milosevic-Sozialisten und dem Milosevic-Personal der 1990er-Jahre und machten diese damit wieder salonfähig. OTPOR! geriet in die Bedeutungslosigkeit.[173] Wer hinter der NGO OTPOR! steckt und wer sie finanziert, wird später noch näher erläutert.

»*Nachdem sich* OTPOR! *2003 als eine Partei registriert hatte, wurde diese nach einem enormen Wahlverlust 2004 wieder aufgelöst.*« schrieb Manuela Vasiæ in Ihrer Diplomarbeit an der Universität Wien.[174]

Die New York Times schrieb zum Umsturz im Jahr 2000 in Serbien: »*Keine Oppositionsgruppe war beim Kampf gegen das Regime so entscheidend, für seinen Sturz, so wichtig wie* OTPOR!*.*«[175] OTPOR!, die Revolutionsmacher aus Serbien.

»*Die finanzielle Unterstützung von Otpor und der demokratischen Opposition Serbiens durch die US-Regierung betrug zehn Millionen US-Dollar im Jahr 1999 und 31 Millionen im Jahr 2000. Das Open Society Institute von George Soros stellte der Opposition einen weiteren Geldbetrag, dessen Höhe nicht bekannt ist, zur Verfügung.*«[175)]

»*Großen Anteil am Widerstand gegen Milosevic habe der oppositionelle Radiosender B 92* [gegründet 1989] *gehabt, finanziert unter anderem von USAID, National Endowment* [for Democracy]*, Europäischer Union und George Soros* [Open Society Foundations]*.*«

> »**National Endowment for Democracy (NED):** Das NED wurde 1983 gegründet, hat seinen Sitz in Washington und wird vorwiegend über das US-Außenministerium finanziert. Im Haushaltsjahr 2006 wurden allein für NED 80 Millionen Dollar aus dem Staatshaushalt geplant. Auf der Internetseite der OPEN SOCIETY FOUNDATION, OSF wird das NATIONAL ENDOWMENT FOR DEMOCRACY als Partnerorganisation gelistet.[177)]

Ein weiterer US-amerikanischer Umsturzhelfer ist Oberst a.d. Robert Helvey, der Veteran des Vietnam-Krieges, der seine Kriege ohne Panzer und Kanonen führt. Helvey ist, bzw. war Präsident des von Gene Sharp gegründeten und vom FREEDOM HOUSE und George Soros finanzierten ALBERT-EINSTEIN-INSTITUT. Helvey wurde von Stiftungen auf dem Balkan arrangiert, darunter auch OTPOR!.[178,179]

Nach seiner Dienstzeit im Vietnam-Krieg folgte seine Ausbildung am War College, danach leistete er Dienst im Stab des Pentagons, bevor er in den 1980er Jahren zum US-Militärgeheimdienst Defense Intelligence Agency (DIA) versetzt wurde. Später war Helvey auserkoren, die Attaché-Schule des Geheimdiensts zu übernehmen. Dann lernte er Gene Sharp kennen, den Gründer des ALBERT-EINSTEIN-INSTITUT in Bosten. Im Jahr 2000 bat ihn das REPUBLICAN INSTITUTE um einen eiligen Einsatz auf dem Balkan.[179]

OTPOR! brauchte Hilfe und darauffolgend lehrte er in 17 Stunden in einem Budapester Hotel den OTPOR!-Aktivisten seine Theorien für einen gewaltlosen Widerstand.[179]

Regimewechsel in Georgien
(Rosenrevolution)

Ein Staatsstreich stürzte am 23. November 2003 den damaligen linken Präsidenten von Georgien, Eduard Schewardnadse. Schewardnadse wurde 1948 Mitglied der Kommunistischen Partei der Sowjetunion (KPdSU). Später wurde er Mitglied des Obersten Sowjets der Georgischen SSR und Anfang der 1990er Jahre Innenminister der UdSSR, bevor er 1995 der Präsident Georgiens wurde.

Auslöser der sogenannten *Rosenrevolution* in Georgien war der Vorwurf der Wahlfälschung bei den Parlamentswahlen am 2. November 2003, woraus das Regierungsbündnis um Eduard Schewardnadse als Sieger hervorging. Wahlfälschung ist ein beliebtes Narrativ, um Regierungen zum Fall zu bringen.

Während der Wahlen haben zwei NGO's, die INTERNATIONAL SOCIETY FOR FAIR ELECTIONS AND DEMOCRACY und THE GLOBAL STRATEGY GROUP, an den Wahllokalen

Befragungen durchgeführt, die einen Sieg der Oppositionsparteien prognostizierten.[180]

The Global Strategy Group wurde 1995 als Meinungsinstitut in New York gegründet.[181] Das US-Meinungsforschungsinstitut wurde – unterstützt von der OPEN SOCIETY GEORGIA FOUNDATIONS - 2003 damit beauftragt, in Serbien Meinungsumfragen durchzuführen.[182]

Der massiv vorgetragene Fälschungsverdacht war also letztendlich der Auslöser der sogenannten Rosenrevolution. Die Hauptakteure hinter der Opposition: Micheil Saakaschwili (2004 bis 2013 Staatspräsident Georgiens), Nino Burdschanadse und Surab Schwania.

Das Wall Street Journal schrieb am 24. November 2003: *»Hinter den drei Politikern stehen zahlreiche Nicht-Regierungsorganisationen [...], die seit dem Untergang der Sowjetunion entstanden sind. Viele dieser NGOs werden von Stiftungen aus Amerika und anderen westlichen Ländern unterstützt, die eine Klasse junger, englischsprachiger Intellektueller hervorbringen, die pro-westliche Reformen herbeisehnen.«*[183]

The Guardian schrieb am 6. Dezember 2003: *»ein gut geplantes Drama mit Saakaschwili als von den Amerikanern ausgewähltem Hauptdarsteller«.*[184]

Ein Kabinettsmitglied Saakaschwilis, Aleksandre Lomaia, war zuvor Geschäftsführer der OPEN SOCIETY GEORGIA FOUNDATIONS gewesen.[185]

Fest steht, dass die zuvor erwähnten NGO's, welche die Wählerbefragungen durchführten zum Teil durch die OPEN SOCIETY GEORGIA FOUNDATION (Gliederung des OPEN SOCIETY FOUNDATIONS' GLOBAL NETWORK) finanziert wurde. Das OPEN SOCIETY INSTITUTE ist einer der Hauptgeldgeber des LIBERTY INSTITUTE, einer der Hauptorganisatoren der Straßenproteste in Georgien.

> Das **»Liberty Institute«** wurde 1996 als Forschungs- und Interessenvertretungsorganisation in Georgien gegründet.

> Der Sprecher in der Sendung des SWR2 »Die Macht des George Soros. „Regime Change" in der Ukraine und in Georgien.« Von Matthias Holland-Letz am Mittwoch, 8. November 2017:
>
>> *»Soros selbst ist zu keinem Interview bereit. Aber die Sprecherin seiner Stiftung, Laura Silber, räumt per E-Mail ein, dass sie in Georgien Kmara und das Liberty Institute gefördert und in der Ukraine eine Fraktion von Pora unterstützt hätten.«*[186]

Georgischen Medienberichten zufolge wurde die georgische Widerstandsgruppe KMARA! mit 500.000 US-Dollar Anschubfinanzierung unterstützt. Das OPEN SOCIETY INSTITUTE finanzierte auch den Erfahrungsaustausch zwischen den OTPOR!-Aktivisten, den KMARA!-Aktivisten und den LIBERTY INSTITUTE-Aktivisten.[187]

> **Kmara!** wurde 2003 gegründet und orientierte sich am Vorbild der serbischen Widerstandsbewegung OTPOR!. Oppositionelle aus Georgien waren im Februar 2003 nach Belgrad geflogen und hatten sich mit OTPOR!-Aktivisten getroffen. Bald darauf trafen OTPOR!-Vertreter in Tiflis ein und schulten rund 800 georgische Aktivisten in dreitägigen Kursen in der Organisation eines gewaltfreien politischen Widerstands.[188]

Somit scheint es nicht verwunderlich, dass sich Eduard Schewardnadse als Opfer ausländischer Einmischung sieht, dass US-amerikanische Organisationen monatelang und zielgerichtet seinen Sturz vorbereitet hätten. Namentlich unter anderem das OPEN SOCIETY INSTITUTE.

Die russische Propagandaseite Sputnik sieht in diesem Umsturz das US-Ziel: Die »*Errichtung der Kontrolle in der Region und über die georgische Schwarzmeerküste; die wirtschaftlichen und politischen Beziehungen des Landes zu Russland zu schwächen*«.[189]

Regimewechsel in der Ukraine 2004 *(Orange Revolution/ Kastanien-Revolution)*

Die Ukraine ist die Kornkammer Europas und einer der größten Weizenexporteure der Welt. Die EU war bis zum Kriegsausbruch der größte Handelspartner der Ukraine mit einem Anteil von 40 Prozent am gesamten Außenhandelsvolumen der Ukraine. Wahrscheinlich noch bedeutender ist, dass »*von den 30 kritischen Rohstoffen wie Lithium oder Kobalt, die die EU identifiziert hat, besitzt die Ukraine alleine 21. Die Europäische Union würde gerne eine Rohstoff- und Batterieallianz mit der Ukraine aufbauen.*« Zudem könnte die Ukraine zum Wasserstofflieferanten werden.[190] Für den Westen ist die Ukraine eine der letzten Bastionen, um militärisch bis an die Grenzen Russlands vorrücken zu können. Für Russland bedeutet die Ukraine Stabilität. Sie ist Korridor für Russlands Öl- und Gaslieferungen und wichtiger Stützpunkt für die russische Schwarzmeerflotte. Offensichtlich alles in allem – für West wie Ost - genug Gründe, um für den Einfluss auf die Ukraine zu kämpfen.

Mit dem Zerfall der Sowjetunion erhielt die Ukraine 1991 ihre Unabhängigkeit. Der Westen versuchte unentwegt die noch pro Russland orientierte Ukraine zu vereinnahmen.

Der aus Ungarn stammende Milliardär George Soros hatte noch vor dem Zerfall der Sowjetunion im Jahr 1990 ein Büro seiner OPEN SOCIETY FOUNDATION in Kiew eröffnet, aus der kurz danach die Stiftung WIDRODSCHENNJA (Wiedergeburt) wurde. Seit diesem Zeitpunkt gab es in der Ukraine kaum einen Politologen oder Journalisten, der nicht an einem der Förderprogramme der Soros-Stiftung teilgenommen hatte.[191]

Die Grundlage war geschaffen und 2004 sollte sich die Geschichte der Ukraine verändern. Als dem frisch gewählten Staatsoberhaupt Wiktor Janukowytsch – ähnlich der Situation in Georgien – im zweiten Wahlgang Wahlfälschung vorgeworfen wurde, war die Basis für den Umsturz geschaffen. Nach wochenlangen Protesten der Gruppierungen in der Orangen Revolution und der Opposition, erklärte das Oberste Gericht der Ukraine die erste Stichwahl für ungültig und ordnete eine Wiederholung der Wahl an. Bei der Wiederholung der Stichwahl für das Präsidentenamt am 26. Dezember 2004 unterlag Wiktor Janukowytsch und Wiktor Juschtschenko erhielt die meisten Stimmen.

Was waren die Hintergründe und vor allem, wer die Hintermänner und Finanzierer der Orangenen Revolution?

Was auch hier aussah, wie ein spontaner Aufstand hatte verblüffende Parallelen zu den Vorgängen in Georgien. Der Aufstand war alles andere als spontan und unkoordiniert. Schon länger zogen im Hintergrund Profis die Fäden.

Das US-Außenministerium ließ zwischen 2002 und 2005 rund 65 Millionen US-Dollar über die NATIONAL ENDOWMENT FOR DEMOCRACY (NED) und die US-amerikanischen Parteistiftungen IRI und NATIONAL DEMOCRATIC INSTITUTE (NDI) für die Wahl in der Ukraine fließen. *»"Wir wissen nicht genau, wie viele Millionen oder Dutzende Millionen Dollar die Regierung der USA für die Präsidentenwahl in der Ukraine ausgegeben hat" bemängelte der republikanische Abgeordnete Ron Paul in Washington: „Aber wir wissen das der Großteil des Geldes zur Unterstützung eines bestimmten Kandidaten gedacht war" – Wiktor Juschtschenko.«*[192]

NDI ist seit 1984 die Parteistiftung der Demokratischen Partei mit Sitz in Washington, die ebenfalls OTPOR! unterstützt. Vorsitzende ist die frühere US-Außenministerin Madeleine Albright. Unterstützt wird das NDI von der OPEN SOCIETY FOUNDATIONS.[193]

International Republican Institute (IRI) ist die 1983 gegründete Parteistiftung der Republikanischen Partei ebenfalls mit Sitz in Washington. IRI unterstützt z. B. OTPOR! seit Juni 1997. Das IRI steht auf der Liste der Spendenpartner der OPEN SOCIETY FOUNDATIONS.[194]

In den Wochen vor der Wahl soll kofferweise Bargeld aus den USA am Flughafen Kiew ausgeladen worden sein, erzählte die Buchhalterin von »UNSERE UKRAINE«, einer oppositionellen Organisation.[195]

Auch eine Protestbewegung wie OTPOR! in Serbien und KMARA! in Georgien war in der Ukraine mit PORA! aktiv. PORA! formierte sich 2003. Die Führung von PORA! war an der Koordination der Aufstände im November und Dezember 2004 beteiligt, so organisierte sie die Zeltstadt, die während der Massenproteste mehrere Wochen die Flaniermeile im Zentrum Kiews blockierte.

Die kanadische Journalistin Carol Off, Kommentatorin und Autorin bei CBC Television and CBC Radio:

»Es ist so faszinierend. Es sieht aus wie die Kopie der Revolution in Georgien. In Georgien hatten sie Kmara. In Serbien gab es Otpor. In der Ukraine hießen sie Pora. Sie alle wurden trainiert von Leuten aus den USA. Vor der Revolution in Serbien waren sie in einem Trainingscamp in Ungarn, finanziert von [der Open Society Foundations] *und vom International Republican Institute, einer Organisation, die der US-amerikanischen Republikanischen Partei nahesteht.«*[196]

Pora! (Übersetzt: Es ist Zeit!) PORA! wurde 2003 als Bewegung zur Koordinierung von Aktionen gegen die ukrainische Führung unter Präsident Leonid Kutschma gegründet. Das FREEDOM HOUSE, geleitet von Ex-CIA-Chef James Woolsey, das den US-Republikanern nahestehende INTERNATIONAL REPUBLICAN INSTITUTE (IRI), betreut ebenso wie die Open Society Foundations die jungen Protestler der Organisation PORA!.[197)]

Zur Erinnerung: Einem Sprecher von *SWF2* gegenüber räumte die Sprecherin der Open Society Foundations (*Laura Silber*) ein, dass sie in Georgien KMARA! und das LIBERTY INSTITUTE gefördert und in der Ukraine eine Fraktion von PORA! unterstützt hätten.[198)]

Auf Rechnung der US-amerikanischen NGO FREEDOM HOUSE trafen sich 320 Ukrainer, darunter 72 PORA!-Aktivisten am 1. August 2004 zu einem Training für Kampagnen im Sommercamp in Jewpatorija auf der Krim. Darunter auch Wladislaw Kaskiw, der Kiewer Programmdirektor der Open Society Foundations.[198)]

Freedom House ist eine bereits 1941 gegründete US-amerikanische GONGO und steht aktuell unter Leitung des früheren CIA-Direktors James Woolsey. Sie hat ihren Hauptsitz in Washington, unterhält aber Außenstellen weltweit. *(*Als GONGO werden Nichtregierungsorganisationen (NGO) bezeichnet, die von Staaten stark beeinflusst, gefördert und finanziert werden, und dadurch ihren Status als staats- und regierungsunabhängige Organisationen verlieren, sich jedoch öffentlich weiterhin als unabhängig darstellen, und der internationalen Interessenvertretung von Staaten dienen.)

Die Organisation wurde in New York City als Reaktion auf den Nationalsozialismus in Deutschland gegründet. FREEDOM HOUSE setzte sich für einen Eintritt der USA in den Zweiten Weltkrieg auf Seite Großbritanniens ein.[199]

FREEDOM HOUSE zählt Institutionen der US-Regierung zu seinen Geldgebern.[200] Zu den Spendern gehörte u.a. 2010 mit über 100.000 US-Dollar die OPEN SOCIETY FOUNDATIONS.[201]

Die OPEN SOCIETY FOUNDATIONS schreibt auf ihrer Internetseite zu ihren Aktivitäten in der Ukraine:

»*The International Renaissance Foundation, a part of the Open Society Foundations, was established in Kyiv in April 1990 [...] By 1994, the International Renaissance Foundation was the biggest international donor in the country, with an annual budget of roughly $12 million for projects that ranged from retraining tens of thousands of decommissioned soldiers to the creation of a contemporary arts center in Kyiv. In the early 2000s, the foundation oriented itself around European integration [...].*[202]

»*Die International Renaissance Foundation, Teil der Open Society Foundations, wurde im April 1990 in Kiew gegründet [...] Bis 1994 war die International Renaissance Foundation der größte internationale Spender des Landes mit einem Jahresbudget von rund 12 Millionen US-Dollar für Projekte, die von der Umschulung Zehntausender außer Dienst gestellter Soldaten bis zur Schaffung eines Zentrums für zeitgenössische Kunst in Kiew reichten. Anfang der 2000er Jahre orientierte sich die Stiftung an der europäischen Integration [...].*

Deutlicher wird der Eintrag auf der Internetseite der OPEN SOCIETY FOUNDATIONS am 3. März 2022:

»*This initiative builds on Open Society's more than three decades of work in Eastern Europe to support human rights organizations, independent journalists, and other civil society groups.«*[203)]

» Diese Initiative baut auf der mehr als drei Jahrzehnte währenden Arbeit der Open Society in Osteuropa auf, um Menschenrechtsorganisationen, unabhängige Journalisten und andere Gruppen der Zivilgesellschaft zu unterstützen.«

Wie diese Unterstützung – vor allem der »Gruppen der Zivilgesellschaft« - aussieht, können wir den vorherigen und den folgenden Seiten entnehmen.

Auch die OTPOR!-Aktivisten waren involviert: Der OTPOR!-Aktivist Alexander Maric, reiste anderthalb Jahre auf Kosten und im Auftrag von FREEDOM HOUSE quer durch die Ukraine und gab Seminare u.a. über Möglichkeiten des gewaltfreien Widerstandes. *»Es gibt kaum eine größere Stadt des Landes, die der Serbe nicht besucht hat.«* so Michael Martens in der Frankfurter Allgemeine Zeitung.[204)]

Regimewechsel in der Ukraine 2014 (Euromaidan)

Dass es sich bei dem damaligen ukrainischen Präsidenten Wiktor Janukowitsch um einen Verbündeten Russlands handelt, steht sicherlich außer Frage. Ebenso wenig, dass er nicht der Wunschpräsident des Westens, zur Durchführung der EU- und NATO-Osterweiterung, ist. Es steht auch außer Frage, dass Wladimir Putin in der Osterweiterung, den Vorgängen in Serbien, Georgien und der Ukraine eine Bedrohung für Russland sah.

Auch 2014 sieht alles danach aus, als wenn die gesamten Proteste bis hin zum Sturz des moskautreuen ukrainischen Präsidenten eine vom Westen gesteuerte Aktion war. Dass man sich dabei auch der sonst so verhassten politischen Rechten bediente, ist der offiziellen Berichterstattung zweitrangig und wird bis heute gerne heruntergespielt, oder gar dementiert.

Die Erklärung der ukrainischen Regierung, das Assoziierungsabkommen mit der Europäischen Union vorerst nicht unterzeichnen zu wollen, war der offizielle Anlass für die neuen Proteste, die im November 2013 begannen.[205]

Zeitgleich mit den Protesten nahm am 22. November 2013 der Internet-TV-Sender Hromadske.tv den Betrieb auf. Laut Finanzbericht des Senders stammten 2013 rund 60 % seiner finanziellen Mittel von den Botschaften der Vereinigten Staaten und der Niederlande in Kiew sowie der INTERNATIONAL RENAISSANCE FOUNDATION.[206]

Während des Maidan-Protestes wurde der Sender zu einem wichtigen Sprachrohr und stieg dabei zu den populärsten Nachrichtenquellen der Ukraine auf.

Co-Gründer des Online-Kanals Hromadske.tv ist der in Afghanistan geborene Journalist Mustafa Nayem. Als Autor auf der Internetseite der OPEN SOCIETY FOUNDATIONS schildert er umfangreich die Vorkommnisse. Er gilt als einer der Initiatoren der Proteste. Am 21. November 2013 rief er auf seiner Facebook-Seite dazu auf, sich um 22:30 Uhr auf dem Majdan Nesaleschnosti zu versammeln, um gegen die Aussetzung des Assoziierungsabkommens zwischen der Europäischen Union und der Ukraine zu protestieren.

Die Proteste hielten mehrere Monate an, es kam zur gewaltsamen Eskalation mit zahlreichen Todesopfern. Mehr als 100 Menschen wurden bei den Ereignissen auf dem Maidan getötet, darunter auch knapp 20 Polizisten. Es gab Massaker, die bis heute nicht aufgeklärt sind. Aus den Untersuchungen in der Ukraine ist kaum etwas an die Öffentlichkeit gedrungen. Schon viele Staatsanwälte hatten die Sache untersucht und Teams haben sich bei der Ermittlung abgewechselt. Nachvollziehbare Gründe für die Wechsel bei den Teams sind unbekannt, legen aber den Verdacht nahe, dass die Untersuchungen auf die lange Bank geschoben worden sind. Das Interesse, das Massaker endlich lückenlos aufzuklären, hält sich offensichtlich in Grenzen.[207]

Am 22. Februar 2014 verliert der ukrainische Präsident Wiktor Janukowitsch den Rückhalt in den eigenen Reihen sowie vonseiten der Sicherheitskräfte. Er flieht noch in der Nacht in die Ostukraine und später mit russischer Hilfe nach Russland. Aus einem Brief von Präsident Janukowitsch an den russischen Präsidenten Wladimir Putin geht hervor, dass er den Kremlchef aufforderte, seine Armee einzusetzen, um in der Ukraine wieder für »Gesetz und Ordnung« zu sorgen. Am 1. März hatte Russland einen Truppeneinsatz in der Ukraine genehmigt. Das ist der Beginn des Krieges in der Ostukraine.[208)]

Ein Krieg, der bis heute nicht endete, seit 2014 vielen Menschen das Leben kostete, 2022 durch eine russische Intervention und folgend durch westliche Waffenlieferungen angeheizt wurde.

Der damalige ukrainische Innenminister Witali Sachartschenko:

»Dieser Umsturz war von außen vorbereitet, und zwar über längere Zeit. Er sollte eigentlich erst 2015 stattfinden, zur Präsidentenwahl. Aber dann hat man den günstigen Moment nach der Ablehnung des EU-Assoziierungsabkommens genutzt.«[209)]

Der damalige ukrainische Regierungschef Mykola Asarow schildert in seinem Buch »Ukraina na perepútje« (Ukraine am Kreuzweg) seine Sicht auf den Machtwechsel. Darin wirft der ehemalige Regierungschef den USA vor, sich massiv in die inneren Belange der Ukraine eingemischt und letztlich auch den Umsturz 2014 gesteuert zu haben. Die Anführer der Proteste auf dem Maidan in Kiew hätten sich ihre Instruktionen direkt aus der US-Botschaft abgeholt.[210)]

Zur Entwicklung nach 2014, aber vor dem russischen Angriff im Jahr 2022 äußerte sich der Publizist und Nahostexperte Michael Lüders gegenüber dem TV-Sender Phönix am 20. Januar 2015, also vor mehr als 7 Jahren:

»Die ukrainische Regierung ist entschlossen die Probleme im Osten des Landes militärisch zu lösen und man darf vermuten, dass sie diese Entscheidung nicht alleine getroffen hat, denn die ukrainische Regierung ist im Wesentlichen zahlungsunfähig. Sie verfügt nicht über die finanziellen Mittel, um einen mittel- oder gar längerfristigen Krieg im Osten des eigenen Landes zu führen gegen die russischen Separatisten [...], weder finanziell noch militärisch. Wenn dennoch dieser Weg beschritten wird, dann muss es hier sicherlich eine Zusammenarbeit geben.«[211]

Michael Lüders geht noch weiter:

»Es soll angeblich Kontakte gegeben haben zwischen der ukrainischen Regierung und der in Washington. Es sollen sich unter anderem auch 500 Söldner der Blackwater-Organisation, die sich mittlerweile umbenannt hat [...] etwa 500 also an der Zahl in der Ukraine [befinden]. *Wir haben also nicht nur Russen, die hier kämpfen aufseiten der Separatisten, sondern auch* [US-] *Söldner auf Seiten der Regierung.«*[211]

All das kann laut Lüders aus der Kontrolle geraten:

»Das ist eine gefährliche Entwicklung, eine ungute Entwicklung, denn es ist ganz klar, dass eine Eskalation nicht ausgeschlossen ist und dieser Konflikt kann außer Kontrolle geraten, wenn die russische Seite, oder wenn die ukrainische Seite der Meinung ist sie könnte ganz auf Sieg setzen.«[211]

Der Arabische Frühling

Eine im Dezember 2010 beginnende Serie von Protesten und Aufständen in der arabischen Welt wird als »Arabischer Frühling« bezeichnet. Diese Unruhen richteten sich gegen die damals dort herrschenden Regierungen und die politischen und sozialen Strukturen dieser Länder. Ursprünglich war der Begriff positiv besetzt und man erhoffte sich Verbesserung in den betroffenen Ländern, mittlerweile hat sich dieses Bild ins Gegenteil gekehrt.

Neben der bestehenden Unzufriedenheit mit den politischen und sozialen Situationen – die es in jedem Land gibt, wurden die Menschen besonders über das Internet (Facebook, Twitter, Blogs) informiert oder desinformiert, was die Unruhen begünstigt hat. Das Ausland war dabei nicht ganz tatenlos – insbesondere nicht die USA.

Die Nutzung von Facebook und Twitter war bei diesen Umstürzen genauso neu, wie der Einsatz von Messenger-Diensten, wie WhatsApp bei den Planungsphasen zur schnellen Kommunikation und Absprache. Über Facebook wurden Aufrufe zu Demonstrationen verbreitet.

1. Regimewechsel in Tunesien

In Tunesien begann die Revolution im Dezember 2010 und endete spätestens im November 2011 mit dem Zusammenkommen der Verfassungsgebenden Versammlung.

Im Dezember 2010 breiteten sich die Unruhen in Tunesien über die Zentren des Landes hinaus aus. Sie richteten sich offiziell gegen die Regierung BenAlis und gegen die Lebensbedingungen in Tunesien. Nicht selten kam es zu Gewaltausbrüchen und Plünderungen.

Auslöser der Unruhen war die Nachricht über die Selbstverbrennung des Gemüsehändlers Mohamed Bouazizi am 17. Dezember 2010 in Sidi Bouzid.

Waren es am Anfang in Tunesien nur kleine lokale Proteste gegen die dortige Regierung unter Ben Ali, so wurde schnell deutlich, dass diese Proteste fremdgesteuert wurden. Sie endeten in einer Revolution und als das Militär sich auf die Seite der Protestierenden stellte, verließ das bisherige Staatsoberhaupt Ben Ali nach 23 Regierungsjahren am 14. Januar 2011 das Land.

Soweit die offizielle Version. Waren in Tunesien auch Revolutionsmacher mit US-Hilfe am Werk? Wir forschten nach.

Die bisher mehrfach genannte OPEN SOCIETY FOUNDATIONS , OSF arbeitete bereits seit 2005 in Tunesien. 2005 eröffnete sie der tunesischen Hauptstadt Amman ihr Büro.[212)]

US-Einflüsse auf die Protestbewegung in Tunesien sind laut einer Studie der HANNS-SEIDEL-STIFTUNG E.V. erkennbar. Regierungsfinanzierte Nichtregierungsorganisationen wie das ALBERT EINSTEIN INSTITUTE, FREEDOM HOUSE und das INTERNATIONAL REPUBLICAN INSTITUTE boten von 2006 bis 2008 regierungskritischen Aktivisten aus Tunesien, Strategietraining und Taktik des gewaltfreien Widerstands an. Dies vorwiegend über Stipendien in Drittländer. Zum Lehrstoff gehörte die Nutzung sozialer Netzwerke zur politischen Mobilisierung ebenso wie die Nutzung gemeinsamer Symbole.[213)]

Das mit der OPEN SOCIETY FOUNDATIONS zusammenarbeitende NATIONAL ENDOWMENT FOR DEMOCRACY (NED) finanzierte 2009 die beiden Organisationen AL-JAHEDH FORUM FOR FREE THOUGHT und MOHAMED ALI CENTER FOR RESEARCH, STUDIES AND TRAINING, die Führertraining von Jugendaktivisten betrieben.[214)]

Eine nicht unwesentliche Rolle bei der Mobilisierung von Demonstranten spielte die regierungskritische Radiostation »Kaiima« die vom INTERNATIONAL MEDIA SUPPORT und dem OPEN SOCIETY INSTITUTE finanziert wurde.[215)]

Die Verbindung zwischen US-Regierung, Geheimdiensten und Internetkonzernen, die durch den NSA-Skandal bekannt wurden, dürften sicherlich auch von Bedeutung sein. Internetriesen wie Google, Twitter und Facebook berieten junge Tunesier zur Nutzung sozialer Netzwerke für regierungskritische Aktivitäten. Im September 2010 organisierte Google in Budapest die Konferenz »Internet at Liberty 2010«, auf der das MIDDLE EAST AND NORTH AFRICAN BLOGGERS NETWORK etabliert wurde.[216)]

Mitorganisator der Konferenz INTERNET AT LIBERTY ist das CENTER FOR MEDIA AND COMMUNICATION STUDIES (CMCS). Laut CMCS haben sich mit der OPEN SOCIETY FOUNDATIONS, OSF eine Reihe von Kooperationen entwickelt. Weitere Möglichkeiten der Zusammenarbeit werden geprüft. Die OSF hatte eine große CMCS-Studie finanziert.[217)]

Aus dem »Annual Report for the academic year 2010-2011« des CMCS:

»OSF program officers have been invited to speak in CMCS-led courses and have funded student participation in our summer courses, and are regularly consulted for project development. CMCS is working with OSF to develop further collaborations for students and other research projects such as the community media policy research hub. CMCS looks forward to working more closely with OSF.«[218]

»OSF-Programmverantwortliche wurden eingeladen, in CMCS-geführten Kursen zu sprechen, haben die Teilnahme von Studenten an unseren Sommerkursen finanziert und werden regelmäßig zur Projektentwicklung konsultiert. CMCS arbeitet mit OSF zusammen, um weitere Kooperationen für Studenten und andere Forschungsprojekte wie das Community Media Policy Research Hub zu entwickeln. CMCS freut sich auf eine engere Zusammenarbeit mit OSF.«[219]

Interessant sind sie Zahlungen des NATIONAL ENDOWMENT FOR DEMOCRACY NED, einer Partnerorganisation der OPEN SOCIETY FOUNDATIONS in den Jahren 2005-2009 nach Tunesien um sogenannte Demokratische Kräfte zu unterstützen.

Bereits im Jahr **2005** sind nachweislich folgende Gelder vom NED nach Tunesien geflossen:[220]

Al-Jahedh Forum for Free Thought (AJFFT)	$51.000
Mohamed Ali Center for Research, Studies and Training (CEMAREF)	$37.500[221]
Committee for the Respect of Freedom and Human Rights in Tunisia (CRLDH)	$70.000[221]

2006 sind folgende Gelder geflossen:

Al-Jahedh Forum for Free Thought (AJFFT)	$45.000
Mohamed Ali Center for Research, Studies and Training (CEMAREF)	$38.500
The Arab Institute for Human Rights (AIHR)	$43.900[221]
Moroccan Organization for Human Rights (OMDH)	$60.000[221]

2007 sind folgende Gelder geflossen:

Al-Jahedh Forum for Free Thought (AJFFT)	$57.000[221]
Tunisian Arab Civitas Institute	$40.300[221]
Mohamed Ali Center for Research, Studies, and Training	$37.800[222]
Center for the Study of Islam and Democracy (CSID)	$205.000[221]

Und **2008** sind folgende Gelder geflossen:

Al-Jahedh Forum for Free Thought received	$131.000[223]
Mohamed Ali Center for Research, Studies and Training (CEMAREF)	$33.500[223]
Tunisian Arab Civitas Institute	$43.000[223]

2009 (also ein Jahr vor dem Aufstand) sind die Angaben sehr spärlich. Bestätigt sind:

Mohamed Ali Center for Research, Studies and Training (CEMAREF)	$32.900[223]

Lediglich die Gesamtüberweisung der NED nach Afrika im Jahr 2009, u. a. zur sogenannten Demokratieförderung, Schulung, Führung und Pluralismus in der Gesellschaft ist mit 8.824.594,00 US-Dollar aufgeführt.[224]

Wer sind diese Organisationen?

Mohamed Ali Center for Research, Studies and Training (CEMAREF)

Zu Ihren Aktivitäten gehört die Schulung von 50 jungen tunesischen Bürgerrechtlern und -aktivisten im Alter von 20 bis 40 Jahren in Führungsqualitäten. Die Organisation sollte fünf viertägige Workshops für jeweils zehn Aktivisten zu Führungsqualitäten einschließlich Entscheidungsfindung, Zeitmanagement, Konfliktlösung, Problemlösung und Kommunikation durchführen. CEMAREF wird nach der Ausbildung Besuche vor Ort bei den jeweiligen Gruppen der Auszubildenden durchführen, um die Auszubildenden zu bewerten.

Association for the Promotion of Education (APES)

Zuständig für die Stärkung der Fähigkeit tunesischer Hochschullehrer, zur Förderung demokratischer und staatsbürgerlicher Werte in ihren Klassenzimmern. APES sollten einen Training-of-Trainer-Workshop für 10 Universitätsprofessoren und Schulinspektoren durchführen und drei zweitägige Seminare zum Aufbau von Kapazitäten für 120 Hochschullehrer zu pädagogischen Ansätzen veranstalten, die auf demokratischen und staatsbürgerlichen Werten beruhen. Durch dieses Projekt möchte APES die Werte Toleranz, Relativismus und Pluralismus in das tunesische Sekundarschulsystem integrieren.

Al-Jahedh Forum for Free Thought (AJFFT)

Zuständig für die Fortsetzung eines Programms für politische Bildung und demokratischen Dialog für die tunesische Zivilgesellschaft. AJFFT sollte wöchentliche Diskussionsgruppen abhalten, eine Reihe von drei eintägigen Workshops für 50 Frauen zu Frauenrechten durchführen und eine Reihe von fünf eintägigen Führungsworkshops für junge Menschen abhalten.

Tunisian Arab Civitas Institute

Ihr Tätigkeitsgebiet ist die Stärkung der Fähigkeit tunesischer Pädagogen zur Förderung von Demokratie und staatsbürgerlichen Werten und Aufklärung tunesischer Schüler über die Werte einer guten Staatsbürgerschaft. CIVITAS hatte einen Schulungsworkshop für Inspektoren und pädagogische Berater zur Überwachung von Aktivitäten der politischen Bildung durchgeführt.

The Arab Institute for Human Rights (AIHR)

Arbeitet zur Durchführung eines staatsbürgerlichen Bildungsprogramms für Jugendliche in Tunis, Tunesien.

Moroccan Organization for Human Rights (OMDH)

Zu Ihren Aktivitäten gehört die Stärkung einer Gruppe junger tunesischer Anwältinnen und Anwälte bei der Mobilisierung der Bürgerinnen und Bürger für Reformfragen. Die OMDH sollte eine Gruppe von 20 tunesischen Anwälten in ziviler Mobilisierung ausbilden und sie bei der Umsetzung ihrer eigenen Mobilisierungsprojekte beaufsichtigen und betreuen.

Committee for the Respect of Freedom and Human Rights in Tunisia (CRLDH)

CRLDH tritt für eine allgemeine Amnestie für politische Gefangene, die in Tunesien an friedlichen Aktivitäten beteiligt waren ein. CRLDH hatte fünf zweitägige Treffen mit dem Europäischen Parlament, politischen Parteien und internationalen NGOs in Frankreich, Belgien und Deutschland über die Notwendigkeit einer Generalamnestie organisiert. Außerdem sollte sie eine Reihe von vier zweitägigen Schulungsworkshops für tunesische Menschenrechtsaktivisten zum Thema Übergangsjustiz und der Erstellung einer eigenen Website durchführen.

So harmlos die Aktivitäten dieser Gruppen aussehen, so waren sie die Grundlagenarbeit für den Regierungssturz. Grundlagen mit einem eindeutigen ausländischen Einfluss. Seitens des NER wurden noch zahlreiche andere Organisationen unterstützt, die zumindest offiziell einen wirtschaftlichen Anstrich haben. Wie weit diese an dem Umsturz mitgewirkt haben, ist bisher unbekannt.

Die »Errungenschaften« sehen eher dürftig aus. Nachfolgend leider das traurigste Resultat, die Opferbilanz.

Opferbilanz der Revolution in Tunesien: 338 Tote, 2147 Verletzte.[225]

Wie ist der aktuelle Stand in Tunesien? Ein Blick auf die Internetseite des Auswärtigen Amtes (AA) gibt Auskunft:

»In Tunesien besteht weiterhin ein erhöhtes Risiko terroristischer Anschläge. In der Vergangenheit wurden zum Teil schwere terroristische Anschläge verübt, bei denen auch ausländische Reisende unter den Opfern waren, wie im März 2015 vor dem Bardo-Museum in Tunis und im Juni 2015 auf ein Strandhotel in Sousse. Zuletzt wurden Ende Oktober 2018 und Ende Juni 2019 in der Innenstadt sowie Anfang März in einem Vorort von Tunis Anschläge verübt.«[226]

Zur innenpolitischen Lage in Tunesien:

»Am 25. Juli 2021 hat Staatspräsident Saied unter Berufung auf den Notstands-Artikel 80 der tunesischen Verfassung alle Regierungsgeschäfte übernommen und am 22. September 2021 per Dekret alle Macht auf sich konzentriert und eine provisorische, neue öffentliche Ordnung geschaffen.

Vor dem Hintergrund der schwierigen wirtschaftlichen und sozialen Lage finden noch lokal begrenzte Demonstrationen und teilweise gewalttätige Auseinandersetzungen in Tunis und weiteren Landesteilen statt. [...] Demonstrationen und Proteste können sich spontan und unerwartet entwickeln. Gewaltsame Auseinandersetzungen zwischen Demonstranten und Sicherheitskräften können dabei nicht ausgeschlossen werden.«[227)]

Auch zur steigenden Kriminalität gibt das A.A. Auskunft:

»Die Kriminalitätsrate hat sich in Tunesien erhöht, insbesondere die Anzahl von Einbruchs- und Diebstahldelikten, z.B. durch Entreißen von Handtaschen von motorisierten Zweirädern.

Auch bei Besuchen in Altstädten sowie in Bahnhöfen und Zügen besteht die Gefahr von Taschen- und Trickdiebstählen. Die Zahlen der Beschaffungskriminalität für Drogenkonsum sind zuletzt angestiegen.«[228)]

Die Süddeutsche Zeitung titelte am 18. Mai 2022: *»Tunesien fällt in düstere Zeiten zurück.«* Weiter: *» Das Ursprungsland des Arabischen Frühlings steckt in einer tiefen Wirtschaftskrise, zugleich bröckelt die junge Demokratie, der Präsident regiert immer despotischer. Tausende gehen nun wieder auf die Straße.«*[229)]

2. Regimewechsel in Ägypten

Am 25. Januar 2011 begannen – inspiriert von den Aufständen in Tunesien - in Ägypten die Demonstrationen, die am 28. Januar 2011, dem »Tag des Zorns«, einen ersten Höhepunkt erreichten.

Die Demonstranten wendeten sich vor allem gegen die von 1981 bis 2011 bestehende Regierung des ägyptischen Präsidenten Muhammad Husni Mubarak.

Aber wie war es in Ägypten? Ein spontaner Volksaufstand?

Nein, auch in Ägypten gibt es Hintermänner und vor allem US-amerikanischen Einfluss.

Der algerische Journalist Ali El Hadj Tahar gibt in einer der größten algerischen Tageszeitungen »Le Soir d'Algérie« im Jahr 2013 Auskunft über die Hintergründe und Hintermänner des Aufstandes in Ägypten:

Eine der bedeutendsten Gruppe der Aufständischen in Ägypten ist die im Jahr 2004 gegründete Gruppe KIFAYA. Ein Gründungsmitglied der Gruppe ist Wael Adel. Er gab 2005 vor mindestens dreißig Mitgliedern der KIFAYA-Gruppe ein dreitägiges Geheimtraining in »zivilem Ungehorsam«. Ein anderes Gründungsmitglied, Saad Bahaar trainierte acht Gruppen (ca. 100 Personen pro Gruppe) der BEWEGUNG DES 6. APRIL. Die »Bewegung des 6. April« wurde von dem KIFAYA-Aktivisten Ahmed Maher gegründet. 2009 reiste Ahmed Maher mit anderen ägyptischen Aktivisten zu einem zweiwöchigen Trainingskurs nach Serbien, wo er sich mit Führungskräften US-amerikanischer NGOs traf.[230]

Ahmed Salah, auch Mitbegründer der BEWEGUNG DES 6. APRIL gestand, einer der ersten ägyptischen Aktivisten gewesen zu sein, die zu den USA Beziehungen aufgenommen hatten, um *»den Boden zu bereiten«* für einen Sturz des Regimes von Hosni Mubarak. Er gab zu, dass er durch den in die USA gezogenen Soziologen Saad Eddine Ibrahim Kontakte zu Beamten des US-Außenministeriums und des US-Kongresses bekommen hat.[231]

Wael Nawara, der Generalsekretär der damals oppositionellen El Ghad-Partei, gab zu, unter anderem von NED, IRI und NDI finanziert zu werden, während die KIFAYA-Bewegung von FREEDOM HOUSE finanziert wurde.[232]

Ein weiterer Kopf des Widerstandes ist Wael Ghoneym. Als Marketingmanager von Google für den Nahen Osten und Nordafrika half er den sozialen Netzwerken des Arabischen Frühlings. Er kehrte am 23. Januar nach Kairo zurück, um seine »Revolution« gegen das »Regime« Mubaraks zu machen.[233]

Im Mai 2009 wurden in Kairo zwei Schulungsworkshops für Agenten organisiert, einer von der US-Regierung und der andere vom OPEN SOCIETY INSTITUTE von George Soros. Wie Ben Ali unterschätzte Muhammad Husni Mubarak diese Projekte, indem er die Aktivität tolerierte und dafür zahlte er den Preis. Eine Woche lang standen tunesische und ägyptische Aktivisten Schulter an Schulter und tauschten Ratschläge über Methoden zur Umgehung der Zensur aus. Ein weiteres TechCamp (Workshop) wurde im Dezember 2009 in Beirut organisiert und brachte Cyber-Aktivisten verschiedener Nationalitäten zusammen, darunter Slim Amamou (Tunesien), Abderrahmane Weddady (Mauretanien), Ali Abdulemam (Bahrain) und Hisham Almiraat (Marokko). Darüber hinaus wurde vom US-Außenministerium 2009 das Programm zur Destabilisierung von Regimen mit dem hochtrabenden Namen ZIVIL-GESELLSCHAFTLICHE INITIATIVE 2.0 ins Leben gerufen. Arabische Kollaborateure, die in CIA-Programmen zusammengebracht wurden, die Milliarden von Dollar kosten. Ab Januar 2011 wurde das CANVAS-Logo von ägyptischen Studenten der BEWEGUNG DES 6. APRIL geschwenkt, die in den Straßen von Kairo demonstrierten.[234]

Im April 2010 wurde in Ägypten das Wochenmagazin Wasla gegründet, um arabische Blogger und Politiker zusammenzubringen. Es wird vom ARAB NETWORK FOR INFORMATION ON HUMAN RIGHTS herausgegeben und vom OPEN SOCIETY INSTITUTE finanziert. [235]

Soweit die Informationen von Ali El Hadj Tahar.

Zur Erinnerung: Die mächtigste Missionsgruppe für die »Verbreitung« der »Demokratie nach westlichem Vorbild« ist die US-Stiftung NATIONAL ENDOWMENT FOR DEMOCRACY (NED), einer Partnerorganisation der OPEN SOCIETY FOUNDATIONS. Einst vom US-Kongress ins Leben gerufen und jährlich mit dreistelligen Millionenbeträgen direkt vom US-Außenamt finanziert, verteilt das NED die Gelder über vier Nichtregierungsorganisationen an »farbig und blumenrevolutionär Gesonnene in Osteuropa, Asien und Afrika«. Zu den vier Organisationen gehören das NATIONAL DEMOCRATIC INSTITUTE FOR INTERNATIONAL AFFAIRS (NDI), das INTERNATIONAL REPUBLICAN INSTITUTE (IRI), das CENTER FOR INTERNATIONAL PRIVATE ENTERPRISE (CIPE) und das AMERICAN CENTER FOR INTERNATIONAL LABOR SOLIDARITY (ACILS).[236]

Die Grundlage dieser Stiftungen bildet ein besonderes Demokratieverständnis mit universalistischem Anspruch. Dieses weltweit zu verbreiten, haben sie sich zur Aufgabe gemacht.[237]

Eine wichtige Rolle spielte in Ägypten auch Mohammed ElBaradei, der sich sogar als neuer Präsident von Ägypten angeboten hatte und später auch Vizepräsident wurde.

Er war eine zentrale Figur der Nationalen Bewegung für Veränderung, zu der sich 2010 zahlreiche Oppositionspolitiker zusammengeschlossen hatten.[238] El-Baradei war Vorstandsmitglied der INTERNATIONAL CRISIS GROUP.[239]

Die International Crisis Group wurde 1995 gegründet. Das OPEN SOCIETY INSTITUTE sicherte der INTERNATIONAL CRISIS GROUP eine 200.000 US-Dollar-Finanzierung zu. Im Februar 1996 gründete die INTERNATIONAL CRISIS GROUP ihre erste Präsenz auf dem Balkan, finanziert durch einen 1 Million US-Dollar-Beitrag von dem OPEN SOCIETY INSTITUTE.[240]

Die Demonstrationen in Ägypten waren also alles andere als spontan. Sie waren auch keine rein ägyptische Angelegenheit, sondern wie auch die in Tunesien vom Ausland – vor allem der USA – organisiert und geplant.

Am 29. Januar 2011 berief Mubarak den Ex-Geheimdienstchef Omar Suleiman zum Vizepräsidenten und übertrug ihm Teile seiner Regierungsgewalt. Am 11. Februar 2011 trat Muhammad Husni Mubarak zurück.

Eine Richterkommission ermittelte, dass bis zu diesem Tag 846 Menschen gewaltsam zu Tode gekommen waren.[242]

Auch nach dem Rücktritt Mubaraks ging die Gewalt weiter. Nach schweren Ausschreitungen im August 2013 gab die ägyptische Regierung die Zahl der Toten mit 525 an. 3.717 Menschen sollen dabei verletzt worden sein. Allein bei der Räumung von zwei Protestlager in Kairo kamen 289 Menschen ums Leben.[243] Unter den Toten befindet sich auch ein britischer Kameramann.[244]

In seinem Jahresbericht 2017 erklärte der für Folter zuständige Ausschuss der Vereinten Nationen, ihm lägen Fakten vor, die *»zu dem unausweichlichen Schluss führen, dass Folter in Ägypten systematische Praxis ist«*. Markus Beeko, Generalsekretär von Amnesty International berichtet: *»Amnesty International beobachtet seit der Amtsübernahme durch Präsi-*

dent al-Sisi eine der schwersten Krisen für die Menschenrechte in der modernen Geschichte von Ägypten.«[245]

Südlich der ägyptischen Hauptstadt Kairo haben Unbekannte im November 2018 einen Bus mit koptischen Pilgern beschossen und dabei mehrere Menschen getötet. Die Polizei sprach von sieben Toten und sieben Verletzten. Ein Sprecher der koptischen Kirche gab die Zahl der Verletzten mit 19 an.[246]

Schwere Menschenrechtsverletzungen gegen Zivilisten begehen das ägyptische Militär- und Polizeikräfte auf der Halbinsel Sinai. Seit der Eskalation der Kämpfe im Jahr 2013 wurden Tausende Menschen verletzt oder getötet – darunter Zivilisten, Kämpfer und Angehörige der Sicherheitskräfte.[247]

Wie ist die Lage heute, mehr als 10 Jahre nach dem Umsturz? Wie erfolgreich war die »Revolution«? Das Auswärtige Amt gibt wie folgt Auskunft:

»Terrorismus

Es besteht landesweit weiterhin ein Risiko terroristischer Anschläge. Diese richten sich meist gegen ägyptische Sicherheitsbehörden, vereinzelt aber auch gegen ausländische Ziele und Staatsbürger. Zuletzt forderte am 4. August 2019 ein Autobombenanschlag im Zentrum von Kairo mindestens 20 Todesopfer und zahlreiche Verletzte.«[248]

Zur innenpolitischen Lage:

»Schwerwiegende terroristische Anschläge auf ägyptische Sicherheitskräfte und zivile Ziele können nicht ausgeschlossen werden.

Demonstrationen sind seit 2014 seltener geworden, können aber weiterhin vor allem in Kairo und anderen Städten nicht ausgeschlossen werden.«[249]

»Kritische Äußerungen über Ägypten und politische Kommentare, auch in den sozialen Medien, können unter anderem als strafbare Beleidigung und Diffamierung Ägyptens oder des Staatspräsidenten bzw. als strafbares „Verbreiten falscher

Nachrichten" angesehen werden und eine Strafverfolgung nach sich ziehen.«[250)]

3. Regimewechsel in Libyen

Auch die Revolution in Libyen im Rahmen des Arabischen Frühlings wurde von lokal organisierten bewaffneten Gruppen mit Unterstützung internationaler Mächte ausgefochten. Diese Revolution hat für Europa so schwerwiegende Auswirkungen, dass dieser Umsturz für uns von besonderem Interesse ist.

Libyen hatte unter Muammar al-Gaddafi Herrschaft eines der höchsten Pro-Kopf-Einkommen in Afrika. Die Sozialversicherung für Libyer umfasste Witwen-, Waisen- und Altersrenten, sowie medizinische Versorgung.[251] Verglichen mit anderen arabischen Ländern hatten Frauen in der Zeit unter Gaddafi eine hohe Bildung, für berufstätige Frauen gab es Kindertagesstätten und man fand Frauen in klassischen »Männerberufen« wie Polizistinnen oder Pilotinnen. Libyen war ein wohlhabendes und fortschrittliches Land, wenn es auch von einer Demokratie westlichen Vorbildes weit entfernt war.

Früher hat Libyen Terrorakte unterstützt, dann war es auf einmal von der Liste der Schurkenstaaten, auf der es weit oben stand, verschwunden.

Für Europa war Libyen unter Gaddafi ein Bollwerk gegen Flüchtlingsströme aus Afrika und gegen islamistischen Fundamentalismus.

Vor dem 17. Februar 2011 gab es in Libyen nur kleinere Protestkundgebungen gegen die Regierung mit nur wenigen Teilnehmern. Nach den Unruhen in Ägypten und Tunesien wurde auch der Widerstand der Regierungsgegner in Libyen aktiver. Es folgte über Facebook ein Aufruf zu einer »Revolte des 17. Februar 2011«, dem sogenannten »Tag des Zorns«. Diesem Aufruf folgten mehrere tausend Menschen. Nach schweren Auseinandersetzungen am »Tag des Zornes« schlugen die Proteste innerhalb weniger Tage in einen vom Westen unterstützten bewaffneten Aufstand um.[252]

»Wie später auch in Syrien schürten westliche Medien und die arabischen Regierungssender Al-Dschasira und Al-Arabiya die Stimmung für eine Intervention, indem die Gewalt der Regierungskräfte massiv übertrieben und die der Aufständischen ausgeblendet wurde. Vorwürfe aus oppositionellen Kreisen wurden ungeprüft übernommen. Dies gipfelte in der von Al-Dschasira verbreiteten Meldung, die libysche Regierung würde aus Kampfflugzeugen und -Hubschraubern auf friedliche Demonstranten feuern lassen. Obwohl es für die Behauptung – wie sowohl das Pentagon als auch die Bundesregierung einräumen – keinerlei Beweise gab, war sie Grundlage für die Forderung nach einer Flugverbotszone über Libyen und die Resolution des UN-Sicherheitsrates.«[252]

Ein Wegbereiter für die ausländische Intervention in Libyen war der Ausschluss Libyens aus dem UN-Menschenrechtsrat am 1. März 2011. Die entscheidende Initiative dazu ging von der in Genf ansässigen LIBYSCHEN LIGA FÜR MENSCHENRECHTE aus, die am 21. Februar 2011 eine entsprechende Petition an US-Regierung, EU und UNO richtete.

Wer ist diese LIBYSCHE LIGA FÜR MENSCHENRECHTE? Unter dem englischen Namen LIBYAN HUMAN RIGHTS wurden wir fündig:

LIBYAN HUMAN RIGHTS ist eine Organisation, die zu dem Netzwerk EUROMED RIGHTS gehört.[254] Das Netwerk besteht aus ca. 80 Organisationen und Personen. Finanzkräftige Unterstützung bekam EUROMED RIGHTS von der OPEN SOCIETY FOUNDATIONS.. Diese Stiftung spendete allein in den Jahren 2014 und 2015 mehr als 800.000 US-Dollar an EUROMED RIGHTS.[255]

Nachdem die Vereinten Nationen in der Resolution 1973 die internationale Gemeinschaft zu militärischen Maßnahmen in Libyen ermächtigten, begannen die USA, Großbritannien und Frankreich am 19. März 2011 mit einer Luft- und Seeblockade, sowie Luftangriffen auf Regierungstruppen und Militäreinrichtungen. Am 20. Oktober 2011 wurde Gaddafis Geburtsstadt Sirte eingenommen. Dabei wurde Muammar al-Gaddafi gefangen genommen und getötet. Freudetrunken strömten die Sieger in Tripolis, in Bengasi und in anderen Städten Libyens auf die Straßen und Plätze, verbrannten die grünen Fahnen und zerrissen die letzten Bilder Gaddafis. Freudenschüsse aus den Schnellfeuergewehren der Rebellen stimmten ein, was in den folgenden Jahren Libyen begleiten wird.

Die Zahl der Kriegstoten im Jahr 2011 in Libyen liegt nach Schätzungen zwischen 10.000 und 50.000.[256)] **Die Zahl der zivilen Opfer ist bis heute nicht geklärt.**

Seit dem militärischen Eingreifen der USA, Frankreichs und der NATO, dem Sturz und der Ermordung von Muammar al-Gaddafi befindet sich Libyen in einem dauerhaften Bürgerkriegszustand und ist zwischen rivalisierenden Mächten gespalten, die je von Milizen und anderen bewaffneten Gruppen gestützt werden. Derzeit befinden sich in Libyen seitens der westlichen Alliierten: u. a. US-Spezialeinheiten, italienische Militärstützpunkte, französische Spezialeinheiten, britische SAS-Einheiten und die Royal Air Force.

Fakt ist, dass Libyen nach dem Sturz Gaddafis im Chaos versinkt, die Bevölkerung seitdem den Milizen ausgeliefert ist, die Menschen entführen, sexuell misshandeln und töten. Die Zahl der Opfer nach dem Sturz Gaddafis ist offensichtlich ein Geheimnis. Lediglich ein kleiner Kreis libyscher Ermittler, Staatsanwälte und ehemaliger Richter führen heimlich aus Tunesien Ermittlungen zu Menschenrechtsverletzungen durch. Einer der libyschen Ermittler ist Imed, Angehöriger des Stammes Tawurgane. Laut »Spiegel-Online« schätzt er, dass zwischen 3.000 und 5.000 Mitglieder des libyschen Stammes Tawurgane von den Milizen misshandelt und getötet wurden, was einem Genozid gleichkommt.[257)]

Laut »New Amerika Washington«, abgerufen am 16.08.2019 gab es folgende zivile Opfer bei Luftangriffen.

Berichten einiger Kriegsführender Parteien, sowie allgemeinen und Berichten in sozialen Medien zufolge haben die in Libyen tätigen nationalen und lokalen Gruppen zwischen September 2012 und dem 10. Juni 2018 mindestens 2.158 Luft und Drohnenangriffe durchgeführt.

Berichten und sozialen Medien zufolge wurden bei diesen Angriffen mindestens 242 Zivilisten getötet, die höchste Schätzung ergab 395 Tote. Keine Nation oder lokale Gruppe hat die Verantwortung für einen dieser zivilen Todesfälle angegeben. Diese Studie ist die erste Gesamtrechnung dieser zivilen Todesfälle.

Zusätzlich zu zivilen Todesfällen wurden laut Nachrichten und Berichten in den sozialen Medien mindestens 324 Zivilisten bei Luftangriffen verletzt, wobei die höchste Schätzung 524 Verletzte ergab.[258]

Deutsche Tageszeitungen meldeten am 14.04.2019:

»In dem ölreichen Land in Nordafrika herrscht acht Jahre nach dem Sturz des Langzeitmachthabers Muammar al-Gaddafi ein blutig ausgetragener Machtkampf, in den sich zahlreiche Länder einmischen.« »Bei Kämpfen wurden seit April [2019] mehr als 700 Menschen getötet und 4.400 verletzt. Rund 70.000 Menschen wurden durch die Kämpfe vertrieben.«[259]

Wie ist die Lage im Jahr 2022, also mehr als 10 Jahre nach dem Umsturz? Wie erfolgreich war die »Revolution« in Libyen? Das Auswärtige Amt gibt wie folgt Auskunft:

»Terrorismus:

Es besteht ein erhöhtes Risiko terroristischer Anschläge, insbesondere gegen staatliche Institutionen.

Die staatlichen Sicherheitsorgane können grundsätzlich keinen ausreichenden Schutz garantieren. Bewaffnete Gruppen mit zum Teil unklarer Zugehörigkeit treten häufig als Vertreter der öffentlichen Ordnung auf, sind jedoch nicht ausgebildet und wenig berechenbar.«[260]

Zur innenpolitischen Lage:

» Eine erneute militärische Eskalation ist vorstellbar. Es kann zu gewaltsamen Auseinandersetzungen kommen, von denen auch Ausländer betroffen sein können. In den vergangenen Monaten kam es zu Kampfhandlungen u.a. im Süden Libyens in der Region Sabha. «[261]

Auch die Kriminalität in Libyen ist nicht zu unterschätzen:

» Die Kriminalität ist ein allgegenwärtiges Problem. In ganz Libyen und insbesondere in den Großräumen Tripolis, Sirte, Benghazi und Derna sowie im Süden des Landes besteht ein hohes Entführungsrisiko für Ausländer.

Es besteht landesweit die Gefahr, zum Opfer von bewaffneten Raubüberfällen und „car-jacking" zu werden, insbesondere mit hochwertigen Fahrzeugen und Geländewagen.

Alle Deutschen, die sich entgegen der Reisewarnung noch in Libyen aufhalten, sollten das Land möglichst umgehend verlassen.

Wenn Sie sich entgegen dieser Reisewarnung nach Libyen begeben wollen, sollten Sie unbedingt ein umfassendes Sicherheitskonzept mit Notfallplan erarbeiten und auf eine in Libyen gültige Reise- und Krankenversicherung achten.

Bewegungen in der Dunkelheit sollten unbedingt vermieden werden.«[261]

Soweit die Einschätzung des Auswärtigen Amtes und die klingt nicht gerade nach: hier ist alles in Ordnung.

Otpor!/CANVAS, die Revolutionsmacher

OTPOR! (auf Deutsch: Widerstand), Symbol der Organisation ist die geballte Faust, die immer wieder auch bei den Demonstrationen in Nordafrika zu sehen war. OTPOR! wurde in den 1990er Jahren u. a. durch Srđa Popoviæ in Serbien gegründet. Wie wir bereits belegt haben, mit Geldern und Unterstützung US-amerikanischer NGO's und der OPEN SOCIETY FOUNDATIONS/INSTITUTE.

Als Grundlage der Bewegung OTPOR! dient das Buch »Von der Diktatur zur Demokratie« des Politikwissenschaftlers Gene Sharp. Er beschreibt auf 119 Seiten wirkungsvolle Methoden zum Sturz von Regierungen, dabei geht es hauptsächlich um den geschickten Aufbau von Feindbildern.

Die New York Times zum Umsturz im Jahr 2000 in Serbien über OTPOR!:

»Keine Oppositionsgruppe war beim Kampf gegen das Regime so entscheidend, für seinen Sturz so wichtig wie „Otpor".«[262]

OTPOR-Führer Aleksandar Maric berichtet 2005 über Schulungen von FREEDOM HOUSE, für die Revolution in Serbien: »*Lehrgänge mit amerikanischen Freunden von „Freedom House" fanden in Novi Sad [Serbien] statt*«.[263]

Die serbische Revolutionsbewegung OTPOR! (später umbenannt in CANVAS) war Vorbild für arabische Aktivisten. So nahm der Mitbegründer der Facebookgruppe BEWEGUNG DES 6. APRIL in Ägypten im Juli 2010 an einem Schulungskurs von CANVAS in Serbien teil. Später gehörte zu den Initiatoren der Revolution in Ägypten 2011.

Die serbischen Revolutionsprofis waren später unter dem Namen CANVAS weltweit aktiv. CANVAS wurde in Belgrad im Jahre 2004 ebenfalls von Srða Popoviæ gegründet. Vermittelt werden die Erfahrungen von OTPOR! und eine Grundlage ist ebenfalls das Werk von Gene Sharp.

Die Finanzierung von CANVAS erfolgte durch das Ausland. Die US-amerikanische Nichtregierungsorganisation - kurz NGO - FREEDOM HOUSE unter der Leitung des ehemaligen CIA-Direktors James Woolsey bildet Trainer aus und finanziert Aktivistencamps. Zu den Sponsoren zählt die OPEN SOCIETY FOUNDATIONS.[264]

Der gesamte »Arabische Frühling« wurde von CANVAS stark beeinflusst, das sagt Popoviæ selbst vor laufender Kamera.[265]

So wurden Köpfe der Ägyptischen Revolution in Belgrad ausgebildet und folgten der OTPOR! -Strategie, deren Inhalt sich mit der Anleitung von Sharps »Von der Diktatur zur Demokratie« deckt.[266]

Bereits 2005 berichtete »Der Spiegel«, dass OTPOR! zwischen 1999 und 2005 fast drei Millionen Dollar von der NATIONAL ENDOWMENT FOR DEMOCRACY aus der USA erhalten habe. Insgesamt sollen bis 2005 an OTPOR! aus der USA 40 Millionen Dollar geflossen sein.[267]

Auch kleine Sachspenden gab es von FREEDOM HOUSE. So zum Beispiel 5.000 Exemplare des Buches von Gene Sharp[268] – eine Anleitung zum Sturz von unliebsamen Systemen.

Die Finanzierung von OTPOR/CANVAS erfolgte über ein Geflecht von westlichen Organisationen. Hierzu zählen unter anderem:

- »National Endowmet for Democracy (NED)
- International Republican Institute (IRI)
- National Democratic Institute (NDI)
- Open Society Institute ...
- Committee on the Present Danger (CPD):
- Freedom House

Ein Gründungsmitglied von OTPOR!, Ivan Marovic, reiste 2005 in die USA. Dort entwickelt er zusammen mit der Firma »BreakAway Games – und wesentlich finanziert von der Stiftung Freedom-House«, so »Der Spiegel« - ein Computerspiel, um autoritäre Staatsoberhäupter zu schwächen und aus dem Weg zu räumen.[270]

»CANVAS bietet weltweit Kurse an in gewaltlosen Aktionen und Strategien für den Umsturz autoritärer Regime. Nicht nur für Revolutionäre und Aktivisten, Canvas vermittelt sein Wissen auch an Universitäten und bei internationalen Organisationen.«[271]

Inzwischen haben Hunderte von Aktivisten aus mehr als 30 Ländern CANVAS-Seminare besucht.

Srdja Popovic, einer der führenden Köpfe von Optor: »Es stimmt, dass wir in den vergangenen Jahren Aktivisten aus Ägypten, Tunesien und Iran getroffen haben.«[272]

Schon vor den Aufständen in Libyen gibt es Hinweise auf eine Verknüpfung von CANVAS (OTPOR!) mit der Widerstandsbewegung in Nordafrika. Bereits 2009 gab es einen Blog ENGOUGHGADDAFI.COM mit der dahinterstehenden Bewegung ENOUGH. Ziel dieser Bewegung war es, Widerstand gegen den Staatschef Muammar al-Gaddafi zu schüren und vor allem junge Menschen zu mobilisieren.

»Enough is born from a single, broad sentiment: the recognition of the overwhelming need for change in Libya. Initiated by a group of second-generation Libyan exiles in the United States.«[273]

(Enough wird von einem einzigen, umfassenden Gefühl getragen: der Anerkennung des überwältigenden Bedürfnisses nach Veränderung in Libyen. Initiiert von einer Gruppe Libyer, die in zweiter Generation im Exil in der USA leben.)

Mittlerweile ist der Blog aus dem Netz verschwunden, aber auf diversen Plattformen sind noch jede Menge Spuren der Bewegung. Aus dieser Bewegung gründeten sich auch weitere und verschiedene Online-Plattformen rund um den 17. Februar 2011, die für die Demonstrationen in Libyen verantwortlich waren.[274]

Frank Furedi, Professor für Soziologie an der University of Kent (Großbritannien) in »NovoArgumente«: »*Im Jahr 2013 wurde ich eingeladen, bei einer von der* ▓▓▓▓▓▓▓▓-*Stiftungen in Budapest finanzierten Veranstaltung zu sprechen, dem Open Society Youth Exchange. Es nahmen viele von* ▓▓▓▓▓▓▓▓ *[dem Open Society Institute/Foundations] finanzierte NGO-Aktivisten aus verschiedenen Teilen der ehemaligen Sowjetrepubliken und Osteuropas teil. ... Ich habe den niederländischen, amerikanischen, britischen, ukrainischen und ungarischen Unterstützern der NGOs von* ▓▓▓▓▓▓▓▓, *zugehört, die mit ihren Leistungen prahlten. Einige behaupteten, dass sie eine wichtige Rolle im arabischen Frühling in Ägypten gespielt hätten. Andere äußerten ihren Stolz über ihren Beitrag zur Demokratisierung der Ukraine. Wieder andere stellten ihren Anteil am Sturz des Gaddafi-Regimes in Libyen heraus.*«[275]

Bild Umseitig: Screenshot von der Extinction Rebellion-Facebookseite mit Werbung für das Buch BLUEPRINT FOR REVOLUTION des Otpor-Gründers Srdja Popovic.

BLUEPRINT
FOR
REVOLUTION
HOW TO USE
RICE PUDDING,
LEGO MEN, and other
NON-VIOLENT TECHNIQUES TO
GALVANISE COMMUNITIES,
OVERTHROW DICTATORS,
or simply CHANGE THE WORLD.
SRDJA POPOVIC

Widerstand

Die Open Society Foundations ist weltweit aktiv. In einigen Ländern ist ihr wirken sehr umstritten.

Russland

So soll die OSF an Aktivitäten in Russland beteiligt gewesen sein, wo sie seit langem eine umstrittene Organisation ist, da sie zivilgesellschaftliche Gruppen finanziert haben soll, die in Protestbewegungen vor allem gegen Putin aktiv sind.

2015 wurden umstrittene Stiftungen in Russland verboten, weil sie eine Gefahr für die Staatssicherheit und die russische Verfassung darstellen sollten. Trotz des Verbots waren die Stiftungen weiterhin in Russland tätig.

Im Kreml ist die OSF nicht zuletzt deshalb so unerwünscht, weil man in ihrem Gründer jenen Mann sieht, der die Revolutionen im russischen Einflussbereich angezettelt hatte.

Israel

Israel soll der OSF vorgeworfen haben, schädliche Äußerungen und Maßnahmen gegen Israel ergriffen, sowie antiisraelische Organisationen finanziert zu haben.

Desweiteren wurde sie vom israelischen Ministerpräsidenten Benjamin Netanjahu beschuldigt, Kampagnen gegen Israels Plan zur Abschiebung von Asylbewerbern finanziert zu haben. Der OSF wurde vorgeworfen, scharfer Kritiker Israels zu sein und NGOs mit linksradikalen Absichten zu unterstützen.

Im Jahr 2017 veröffentlichte das israelische Außenministerium eine Erklärung, in der es der OSF anprangerte, dass sie Organisationen finanziere, die den israelischen Staat diffamierten und versuchten, Israel das Recht auf Selbstverteidigung zu verweigern.

Iran

Im Jahr 2017 warnte Irans oberster Führer, Ayatollah Ali Khamenei die OPEN SOCIETY FOUNDATIONS davor, sich in die Wahlen des Landes einzumischen und Unruhen zu stiften.

Rumänien

Der Sozialdemokrat Victor Ponta warnte im Wahlkampf, vor der OPEN SOCIETY FOUNDATIONS. Der damalige amtierende Staatspräsident Klaus Johannis sei deren Marionette. Die nationalen Interessen seien gefährdet. Ponta war erfolgreich und seine Sozialdemokraten siegten.

Ungarn

Die OPEN SOCIETY FOUNDATIONS und Viktor Orban haben eine komplizierte Geschichte. Die OSF soll Orbans Aufstieg an die Macht gefördert haben, indem sie ihm ein Stipendium für ein Studium in Oxford gewährte und eine Spende an seine Partei Fidesz leistete.

Mittlerweile ist Viktor Orban jedoch zu einem scharfen Kritiker der OSF und ihren Aktivitäten in Ungarn geworden. Er warf der OSF vor, die Souveränität Ungarns untergraben zu wollen und NGOs zu finanzieren, die illegale Migration fördern. Ungarn hat ein Gesetz verabschiedet, das sich gegen NGOs richtet, die Gelder aus ausländischen Quellen erhalten, darunter die OPEN SOCIETY FOUNDATIONS.

Schlussgedanke

Was haben Klimaschutzorganisationen und Umsturzorganisationen gemeinsam? Beide haben millionenschwere Finanzierer in der USA. Bei beiden taucht immer wieder der Name OPEN SOCIETY FOUNDATIONS als großer Unterstützer auf.

Kritiker werden sofort protestieren und alles als Zufall darstellen.

Was haben diese Organisationen noch gemeinsam? Es werden eine Reihe NGO's geschaffen die mithilfe des Internets Stimmung machen und die Menschen aufwiegeln. Größtenteils NGO's mit US-amerikanischer Unterstützung und nicht selten der von der OPEN SOCIETY FOUNDATIONS.

Kritiker werden wieder sofort protestieren und alles als Zufall darstellen.

Eine weitere Gemeinsamkeit besteht in den Aktionsformen »ziviler Ungehorsam« und »gewaltfreier Widerstand«. Schulungen darin wieder mit US-amerikanischer Hilfe und der OPEN SOCIETY FOUNDATIONS.

Auf die Gefahr hin, mich zu wiederholen: Kritiker werden wieder sofort protestieren und alles als Zufall darstellen.

Ich antworte hier mit einer plumpen Antwort des Schauspielers Mark Harmond als Leroy Jethro Gibbs in der Serie Navy CIS, mit seiner Regel Nr. 39: »Es gibt keine Zufälle.«

Was haben diese Organisationen erreicht? In Ägypten, Tunesien und Libyen herrscht nach den Umstürzen Mord und Totschlag. In Sachen Osterweiterung ist offensichtlich gewaltig etwas in die Hose gegangen. In der Ukraine herrscht jetzt Krieg, in Serbien herrscht alles andere als Demokratie und in

Georgien charakterisieren Korruption und Armut die Kaukasusrepublik.

Und wie sieht es mit dem Klimaschutz aus? Was haben die Proteste und die Klimapolitik der Ampelregierung bewirkt? In Deutschland sind die CO_2-Emissionen von 637 Millionen Tonnen CO_2 im Jahr 2020, auf 738 Millionen Tonnen CO_2 in 2022 gestiegen.

Die deutsche Bevölkerung verarmt, die deutsche Wirtschaft wird immer mehr lahmgelegt und die Produktionen ins Ausland verlegt. Während die deutsche Bevölkerung und Wirtschaft die großen Verlierer dieser Klimapolitik sind, erfreut sich China steigender Umsätze, dort stieg das Bruttoinlandsprodukt von 14.862,56 Milliarden US-Dollar im Jahr 2020 auf 18.100,04 Milliarden US-Dollar im Jahr 2022. Also hat Deutschland trotz enormer Opfer und Kosten genau – mal rechnen - nichts am CO_2 Ausstoß in den letzten beiden Jahren gut gemacht.

Wie sieht es in China aus, wo wahrscheinlich immer mehr produziert wird, da die deutsche Wirtschaft mehr und mehr abgestellt wird? Von 11.680 Millionen Tonnen CO_2 Ausstoß im Jahr 2020 stiegen die Emissionen in 2022 auf 14.700 Millionen Tonnen an. Also beträgt allein der Anstieg in diesen beiden Jahren den Gesamtausstoß an CO_2 in Deutschland von vier Jahren. Herzlichen Glückwunsch an diese Organisationen, da ist die komplette Aktion ein voller Reinfall. Letztendlich zeigt die Ampel-Regierung, wie wichtig ihr der Klimaschutz wirklich ist. Durch Waffenlieferungen wird der Krieg in der Ukraine künstlich am Leben gehalten und somit auch der überflüssige CO_2-Ausstoß, obwohl dieser Krieg nicht zu gewinnen ist und mittlerweile der Ukraine die Soldaten wegrennen. Nebenbei gefragt: Wie klimaschonend ist es, Millionen Menschen aus warmen Regionen der Welt nach Deutschland zu holen, damit hier z.B. noch mehr geheizt wird und noch mehr Autos fahren? Klingt irgendwie kontraproduktiv. Gute Nacht Deutschland!

Dokumentenanhang

Deutscher Bundestag   Drucksache 20/6854

»Antwort

der Bundesregierung

auf die Kleine Anfrage der Abgeordneten Martin Hess, Dr. Bernd Baumann, Dr. Gottfried Curio, weiterer Abgeordneter und der Fraktion der AfD – Drucksache 20/6621

Zur Rolle ausländischer Gelder bei der Finanzierung von Klimaprotesten und ihre Auswirkungen auf den demokratischen Wettbewerb

Vorbemerkung der Fragesteller

Laut eigenem Transparenzbericht, den die sogenannte Letzte Generation im Januar 2023 veröffentlichte, nahm die Gruppe im vergangenen Jahr insgesamt 900.000 Euro an Spenden ein. Rund ein Drittel stammte dabei aus Direktüberweisungen, ein Drittel aus Sammelspenden und von Crowdfunding-Webseiten. Hinzu kommen noch Zuwendungen der US-Stiftung Climate Emergency Fund, deren Höhe die Aktivisten interessanterweise gerade nicht näher beziffern möchten *(www.welt.de/politik/deutschland/plus244386700/Letzte-Generation-Klimaaktivisten-planen-offenbar-Gruendung-einer-Partei.html)*. Es wird auch nicht dargelegt, wie hoch der jeweilige Anteil ausländischer Spenden bei den jeweiligen Spendeneinnahmen ist und welche Großspender, Organisationen oder Staaten dahinterstehen. Dabei hat die sogenannte Letzte Generation noch in einem früheren Interview angegeben, den „Großteil der Mittel für Recruitment, Training und Weiterbildung aus dem »Climate Emergency Fund«" zu erhalten *(www.focus.de/panorama/letzte-generation-plus244386700/Letzte-Generation-Klimaaktivisten-planen-offenbar-Gruendung-einer-Partei.html)*.

Spenden und Beiträge wären dann in bestimmtem Umfang steuerlich absetzbar, als Partei würde man für Spendeneinnahmen noch einen staatlichen Zuschuss ausgezahlt bekommen.

1. Hat die Bundesregierung von dem in der Vorbemerkung der Fragesteller dargelegten Sachverhalt Kenntnis, und wenn ja, hat sie sich zu dem Umstand eine Auffassung gebildet, dass erhebliche Finanzmittel aus dem Ausland (konkret aus Drittstaaten) an zivilgesellschaftliche Organisationen im weitesten Sinne, insbesondere Klimaprotestgruppierungen in Deutschland, überwiesen werden und diese nach Ansicht der Fragesteller damit besser befähigt werden, effektiver durch Proteste auf die Politik eines Staates und den gesellschaftlichen Frieden einzuwirken (bitte näher ausführen)?

2. Teilt die Bundesregierung die Auffassung der Fragesteller, wonach eine spezielle Gefahr einer Verzerrung des demokratischen Wettbewerbs bei Wahlen besteht, wenn Gelder in erheblichem Umfang aus dem Ausland an politische Vorfeldorganisationen fließen, deren Ziel es ist, eine bestimmte politische Partei oder ein politisches Ziel bei Wahlen zu unterstützen (bitte begründen)?

Die Fragen 1 und 2 werden aufgrund des Sachzusammenhangs gemeinsam beantwortet.

Die Bundesregierung hat von dem in der Vorbemerkung der Fragesteller dargelegten Sachverhalt Kenntnis. Im Übrigen wird auf die Antwort der Bundesregierung zu den Fragen 7, 8 und 9 verwiesen.

Der Bundesregierung ist nicht bekannt, dass es sich bei den von den Fragestellern in der Vorbemerkung genannten Initiativen um politische Vorfeldorganisationen handelt. Politische Vorfeldorganisationen werden dabei verstanden als Gruppierungen, die einer Partei nahestehen oder in ihr eingebettet sind.

3. Geht die Bundesregierung speziell im Hinblick auf Klimaprotestgruppierungen dem Umstand nach, dass in den letzten Jahren eine Zunahme von finanziellen Zuwendungen aus dem Ausland, wie sie im Kontext von Frage 1 und Frage 2 sowie der Vorbemerkung der Fragesteller beschrieben werden, stattfanden, und wenn ja, welche Erkenntnisse liegen ihr hierzu vor, und kann sie diese Mittelzunahme konkret im Hinblick auf bestimmte Gruppierungen beziffern?

4. Geht die Bundesregierung der in der Vorbemerkung der Fragesteller geschilderten Problematik der Finanzierung von Klimaprotesten mit ausländischen Mitteln, insbesondere denen der Letzten Generation aktiv nach, und wenn ja, welche Behörden und Bundesministerien haben dabei welchen Aufklärungsauftrag?

Wenn nein, warum nicht (bitte, soweit möglich, auch nach konkreter Klimaprotestgruppierung aufschlüsseln)?

5. Für den Fall, dass Frage 4 bejaht wird, wird die Bundesregierung dabei insbesondere der Frage nachgehen, wie hoch der tatsächliche Mittelanteil aus dem Ausland ist, der an namhafte Klimaprotestgruppierungen in Deutschland gezahlt wird und woher die Großspenden genau kommen bzw. inwieweit auch staatliche Interessen dahinterstehen?

6. Hat sich die Bundesregierung zu dem Vorhaben der Letzten Generation, ihre Finanzströme und Tätigkeiten über gemeinnützige Gesellschaften, Vereine und auch angedachte Parteigründungen möglichst intransparent auszugestalten und andere Maßnahmen wie eine verschlüsselte Kommunikation oder Vorbereitungen auf Hausdurchsuchungen im Hinblick auf eine zunehmen-

de Radikalisierung eine eigene Auffassung gebildet, und wenn ja, welche *(zu diesem Vorgehen: www.welt.de/politik/deutschland/plus244386700/Letzte-Generation-Klimaaktivisten-planen-offenbar-Gruendung-einer-Partei.html: „Wir denken darüber nach, viele legale Strukturen aufzubauen, weil es dann schwieriger wird, unsere Konten einzufrieren")*?

Nach sorgfältiger Abwägung ist die Bundesregierung zu der Auffassung gelangt, dass eine Beantwortung der Fragen 3, 4, 5 und 6 zu (internationalen) Finanzströmen der „Letzten Generation" sowie deren Tätigkeit über gemeinnützige Gesellschaften, Vereine und mögliche Parteigründungen aufgrund entgegenstehender überwiegender Belange des Staatswohls nicht erfolgen kann, auch nicht in eingestufter Form.

Eine offene Antwort der Bundesregierung auf diese Fragen würde direkt oder im Umkehrschluss spezifische Informationen zu möglichen Beobachtungszielen und -schwerpunkten einem nicht eingrenzbaren Personenkreis zugänglich machen sowie grundsätzlich das vorhandene oder nicht vorhandene Erkenntnisinteresse des Bundesamtes für Verfassungsschutz (BfV) offenlegen. Ein Bekanntwerden von Arbeitsmethoden, Vorgehensweisen und Aufklärungsprofilen des BfV könnte die Entwicklung von Abwehrmaßnahmen der entsprechenden Gruppierungen ermöglichen. Dadurch könnten die Fähigkeiten des BfV, nachrichtendienstliche Erkenntnisse zu gewinnen, erheblich beeinträchtigt werden. Sofern entsprechende Erkenntnisse aufgrund von Abwehrmechanismen entfallen oder wesentlich zurückgehen, würden der Bundesrepublik Deutschland empfindliche Informations- und Sicherheitslücken drohen.

Eine durch ein Bekanntwerden bedingte Änderung des Verhaltens von Gruppierungen könnte eine weitere Aufklärung unmöglich machen. Hierdurch würde die Funktionsfähigkeit des BfV nachhaltig beeinträchtigt werden und damit einen

Nachteil für die Interessen der Bundesrepublik Deutschland bedeuten. Weiterhin würden periodische Abfragen dieser Art Rückschlüsse auf die Inhalte sowie die Entwicklung des Aufklärungsinteresses des BfV ermöglichen. Auch wären dadurch Rückschlüsse auf Maßnahmen und Reaktionen des BfV – oder eben das Ausbleiben von weiteren Maßnahmen – auf Aktivitäten von Gruppierungen möglich, welche die zukünftige Arbeitsweise und Informationsgewinnung des BfV gefährden könnten. Aus der Abwägung der verfassungsrechtlich garantierten Informationsrechte des Deutschen Bundestages und seiner Abgeordneten mit den negativen Folgen für die künftige Arbeitsfähigkeit und Aufgabenerfüllung der Verfassungsschutzbehörden sowie den daraus resultierenden Beeinträchtigungen der Sicherheit der Bundesrepublik Deutschland folgt, dass auch eine Beantwortung unter Verschlusssachen (VS)-Einstufung, die in der Geheimschutzstelle des Deutschen Bundestages einsehbar wäre, ausscheidet. Selbst ein geringfügiges Risiko des Bekanntwerdens kann unter keinen Umständen hingenommen werden. In diesem Zusammenhang kommt im vorliegenden – internationale Finanzströme in den Blick nehmenden – Fall erschwerend hinzu, dass die durch die Beantwortung dieser Fragen möglicherweise erlangten Kenntnisse zu Arbeitsweise und Erkenntnisstand der Sicherheitsbehörden auch im Ausland einem nicht eingrenzbaren Personenkreis zugänglich würden. Es könnte damit ausländischen Akteuren ermöglicht werden, Abwehrstrategien gegen Methoden der Bundessicherheitsbehörden zu entwickeln. Insgesamt könnte dies einen erheblichen Nachteil für die wirksame Aufgabenerfüllung der Sicherheitsbehörden und damit für die Interessen der Bundesrepublik Deutschland bedeuten. Im Hinblick auf den Verfassungsgrundsatz der wehrhaften Demokratie und die Bedeutung der betroffenen Grundrechtspositionen hält die Bundesregierung die Informationen der angefragten Art aus den oben ausgeführten Gründen für so sensibel, dass selbst ein geringfügiges Risiko des Bekanntwerdens unter keinen

Umständen hingenommen werden kann.

7. Hält die Bundesregierung ein Transparenzgesetz zur Offenlegung von Finanzierungen von zivilgesellschaftlichen Organisationen in Deutschland für notwendig, um etwaige Einflussnahmen aus dem Ausland auf demokratische Meinungsbildungsprozesse und politische Entscheidungen besser nachvollziehen zu können (vgl. dazu auch die Ankündigung der Umweltverbände Naturschutzbund Deutschland [NABU] und World Wide Fund For Nature [WWF], die Großspender nicht mehr nennen wollen: *www.deutschlandfunk.de/ naturschutzverbaende-nabu-und-wwf-wollen- grossspender-nicht-oeffentlich-machen-102.html)*?

8. Sind der Bundesregierung auf EU-Ebene Initiativen bekannt, die sich mit der Frage der Finanzierung von zivilgesellschaftlichen Organisationen und Lobbygruppen mit ausländischen Geldern, insbesondere über Stiftungen aus Drittstaaten wie den USA oder auch Russland, befassen, und wenn ja, welche?

9. Wenn Frage 8 mit benannten Initiativen beantwortet wird, welche eigene Auffassung vertritt die Bundesregierung zum Erfordernis einer Regulierung von Finanzströmen im Sinne dieser Kleinen Anfrage?

Die Fragen 7, 8 und 9 werden aufgrund des Sachzusammenhangs gemeinsam beantwortet.

Die EU-Kommission hat angekündigt, bis Ende Mai 2023 ein „Paket zur Verteidigung der Demokratie" vorzulegen *(ec.europa.eu/info/law/better-regulation/have-your-say/initiatives/13730-Defending-European-democracy- Communication_en)*, mit dem verdeckte Einflussnahmeversuche von Nicht-EU-Staaten adressiert werden sollen. Da es sich um ein laufendes Verfahren handelt und der Vorschlag bislang nicht vorliegt, ist eine abschließende Positionierung der Bundesregierung dazu derzeit nicht möglich.

10. Hat die Bundesregierung, soweit sie sich der Aufgabe widmet, Gefahren für demokratische Prozesse zu erkennen, vor dem Hintergrund zukünftiger Bundestagswahlen analysiert, welche Rolle Gelder aus dem Ausland zur gezielten Mobilisierung und damit der Hinwirkung auf einen bestimmten Wahlausgang im Rahmen eines Volksentscheids in Berlin „Berlin 2030 klimaneutral" eingenommen haben und daraus Schlussfolgerungen gezogen (vgl. beispielsweise www.rbb24.de/politik/beitrag/2023/03/volksentscheid-berlin-klimaneutral-2030-gross-spender.html)?

Wenn ja, zu welchen Schlussfolgerungen gelangt sie, und teilt sie dabei die Ansicht der Fragesteller, dass auf diese Weise die Gefahr einer Verzerrung des demokratischen Wettbewerbs besteht (bitte ausführen)?

11. Sieht die Bundesregierung einen gesetzgeberischen Handlungsbedarf, wenn amerikanische Stiftungen oder Privatpersonen Gelder für einen Volksentscheid wie „Berlin 2030 klimaneutral" zur Verfügung stellen, um auf den Meinungsbildungsprozess in der Bevölkerung Einfluss zu nehmen *(vgl. dazu auch www.tichyseinblick.de/meinungen/volksentscheid-berlin-2030-klimaneutral/; www.tagesspiegel.de/berlin/rekord-budgetfur-berliner-umwelt-initiative-klima-volksentscheid-sammelt-12-millionen-euro-spenden-9483722.html)*?

Die Fragen 10 und 11 werden aufgrund des Sachzusammenhangs gemeinsam beantwortet.

Der Volksentscheid „Berlin 2030 klimaneutral" ist eine Angelegenheit allein des Landes Berlin. Transparenzbestimmungen für Volksabstimmungen auf Landesebene richten sich nach den jeweiligen Landesgesetzen. Volksentscheide auf Bundesebene sind gemäß Artikel 29 des Grundgesetzes lediglich für die Neugliederung des Bundesgebiets vorgesehen.

Insofern die Frage auf die Übertragbarkeit der Finanzierung des Berliner Volksentscheids auf die Bundestagswahl zielt, ist festzustellen, dass die aktuelle Rechtslage der Finanzierung aus dem Ausland bereits enge Grenzen setzt. Gemäß § 25 Absatz 2 Nummer 3 des Parteiengesetzes sind Parteispenden aus dem Ausland nur ausnahmsweise und nur unter engen Voraussetzungen zulässig.«[D1)]

Quellenverzeichnis:

1) Blick.ch, Sitzblockade auf Schweizer Strassen. Wer steckt hinter Renovate Switzerland und was wollen sie?, 15.10.2022, https://www.blick.ch/schweiz/sitzblockade-auf-schweizer-strassen-wersteckt-hinter-renovate-switzerland-und-was-wollen-sie-id17963767.html, abgerufen am 17.07.2023

2) 20 Minuten, 6 Tonnen CO2 für Mexiko-Flug – jetzt verteidigt sich Max Voegtli von Benedikt Hollenstein, 23.06.2023, https://www.20min.ch/story/flug-nach-mexiko-jetzt-verteidigt-sich-der-renovate-switzerland-sprecher-987954291050, abgerufen am 17.07.2023

3) Polizei Wallis, Medienmitteilungen - Sitten: Klimaaktivisten – Strassenblockade in Sitten schnell aufgehoben, 20.06.2023, https://www.polizeiwallis.ch/medienmitteilungen/sitten-klimaaktivisten-strassenblockade-in-sitten-schnell-aufgehoben/, abgerufen am 17.07.2023

4) www.gov.uk, https://find-and-update.company-information.service.gov.uk/company/14553828/officers, abgerufen am 19.07.2023

5) Internetseite von Just Stop Oil, »We've got to tackle this now!«, 27.05.2023. Archiviert am 28.05.2023, https://web-archive-org.translate.goog/web/20230528101218/https://juststopoil.org/2023/05/27/weve-got-to-tackle-this-now-just-stop-oil-disrupt-rugby-final/?_x_tr_sl=en&_x_tr_tl=de&_x_tr_hl=de&_x_tr_pto=sc, abgerufen am 17.07.2023

6) Antimajeur Magazine, Just Stop Oil wurde des strafrechtlichen Schadens für schuldig befunden, https://www.artmajeur.com/de/magazine/2-kunstnachrichten/just-stop-oil-wurde-des-strafrechtlichen-schadens-fur-schuldig-befunden-weil-es-an-van-gogh-gemalden-festgehalten-hatte/332509, 24.11.2022, abgerufen am 19.07.2023

7) Yahoo! Movies, A list of all artworks Just Stop Oil have attacked, 09.11.2022, https://uk.movies.yahoo.com, abgerufen am 19.07.2022

8) Deutsche Welle, Van-Gogh-Gemälde mit Suppe überschüttet, 14.10.2022, https://www.dw.com/de/van-gogh-gemälde-mit-suppe-überschüttet/a-63446756, abgerufen am 19.07.2023

9) Le Figaro, Six militants écologistes condamnés à des amendes avec sursis pour avoir interrompu le Tour de France, 24.01.2023, https://www.lefigaro.fr/sports/cyclisme/six-militants-ecologistes-condamnes-a-des-amendes-avec-sursis-pour-avoir-interrompu-le-tour-de-france-20230124, abgerufen am 19.07.2023

10) Infkuence Watch, Declare Emergency, https://www.influencewatch.org/non-profit/declare-emergency/, abgerufen am 20.07.2023

11) Declare Emergency, Six Declare Emergency Supporters Sentenced to Jail, 14.12.2022, https://www.declareemergency.org/press/press-release-2022-12-14, abgerufen am 20.07.2023

12) Forbes, Climate Activists Declare Emergency Claim Credit For National Gallery Protest, 27.03.2023, https://www.forbes.com/sites/alexandrabregman/2023/04/27/national-gallery-protestors-are-from-the-group-declare-emergency/?sh=3a4e3c3e5547, abgerufen am 20.07.2023

13) Activist Handbook, Ultima Generazione, Climate group 'Last Generation', 06.05.2023, https://activisthandbook.org/movements/ultima-generazione, abgerufen am 20.07.2023

14) Merkur.de, Bis zu 60.000 Euro Strafe: Italien greift jetzt hart gegen Klimaaktivisten durch, 13.04.2023, https://www.merkur.de/welt/klima-aktivisten-strafe-italien-letzte-generation-vandalismus-beschmutzung-brunnen-rom-news-92206337.html, abgerufen am 20.07.2023

15) E24, Stopp Oljeletinga utelukker ikke sabotasjeaksjoner, 26.11.22, https://e24.no/norsk-oekonomi/i/abO415/stopp-oljeletinga-utelukker-ikke-sabotasjeaksjoner, abgerufen am 20.07.2023

16) Beck aktuell. Heute im Recht, Schweden: Zwölf Klimaaktivisten wegen Sabotage verurteilt, 25.10.2022, https://rsw.beck.de/aktuell/daily/meldung/detail/schweden-zwoelf-klimaaktivisten-wegen-sabotage-verurteilt, abgerufen am 22.07.2023

17) Internetseite »Letzte Generation« Österreich, Impressum, https://letztegeneration.at/impressum, abgerufen am 22.07.2023

18) Compassionate Revolution, Compassionate Revolution Ltd, https://www.comprev.co.uk/, abgerufen am 22.07.2023

19) Tagesschau.de, Aktivist schleudert Öl auf Klimt-Werk, 15.11.2022, https://www.tagesschau.de/ausland/europa/klimaaktivisten-wien-klimt-letzte-generation-101.html, abgerufen am 22.07.2023

20) CERTIFICATE OF INCORPORATION OF A PRIVATE LIMITED COMPANY, 03.06.2015, https://find-and-update.company-information.service.gov.uk/company/09622618/filing-history?page=2, abgerufen am 23.07.2021

21) Internetseite der »Letzten Generation« (Österreich), Imressum, https://letztegeneration.at/impressum, abgerufen am 23.07.2023

22) Companycheck, COMPASSIONATE REVOLUTION LIMITED, https://companycheck.co.uk/company/09622618/COMPASSIONATE-REVOLUTION-LIMITED/companies-house-data, abgerufen am 23.07.2023

23) Kurier.at, Die "professionellen" Klimaaktivisten: Wer sie bezahlt und dahintersteht, 02.07.2023, https://kurier.at/chronik/oesterreich/letzte-generation-extinction-rebellion-auf-den-spuren-der-professionellen-klimaaktivisten/402507031, abgerufen am 23.07.2023

24) Fridays for Future (Neuseeland), Our response to Grant Robertson's response to Restore Passenger Rail, 17.12.2022, https://www.fridaysforfuture.nz/2022/12/17/our-response-to-grant-robertsons-response-to-restore-passenger-rail/, abgerufen am 23.07.2023

25) Tagesschau.de, Aktivisten werden 580 Straftaten zugeordnet, 11.06.2023, https://www.tagesschau.de/inland/klimaprotest-letztegeneration-straftaten-100.html, abgerufen am 23.07.2023

26) Spiegel.de, Klimaaktivist klebt sich während des Prozesses am Richtertisch fest, 23.02.2023, https://www.spiegel.de/politik/deutschland/berlin-klimaaktivist-klebt-sich-bei-prozess-am-richtertisch-fest-a-6638432c-97df-4813-b7a4-1544aedced55, abgerufen am 24.07.2023.

27) n-tv, Raffaels Gemälde in Dresden. Klimaaktivisten kleben sich an »Sixtinische Madonna«, 25.08.2022, https://www.n-tv.de/panorama/Klimaaktivisten-kleben-sich-an-Sixtinische-Madonna-in-Dresden-Raffaels-Werk-wohl-nicht-beschaedigt-article23542769.html, abgerufen am 25.07.2023

28) mdr.de, Schäden durch Attacke auf »Sixtinische Madonna« in Dresden fünfstellig, 26.10.2022, https://www.mdr.de/nachrichten/sachsen/dresden/dresden-radebeul/schaden-attacke-klima-protest-sixtinische-madonna-kunstsammlungen-100.html, abgerufen am 25.07.2023

29) Süddeutsche.de, Wieder Kleberaktion von Klimaaktivisten in Kunstmuseum, 24.08.2022, https://www.sueddeutsche.de/politik/demonstrationen-frankfurt-am-main-wieder-kleberaktion-von-klimaaktivisten-in-kunstmuseum-dpa.urn-newsml-dpa-com-20090101-220824-99-501270, abgerufen am 25.07.2023

30) allesmuenster.de, Solidarisierung mit „Letzter Generation", 24.04.2023, https://www.allesmuenster.de/fridays-for-future-solidarisierung-mit-letzter-generation/, abgerufen am 25.07.2023

31) Internetseite der deutschen Polizeigewerkschaft, DPolG fordert den Einsatz des Verfassungsschutzes gegen »Letzte Generation« Kritische Infrastrukturen müssen vor Störungen besser geschützt

werden, 21.02.2022, https://www.dpolg.de/aktuelles/news/kritische-infrastrukturen-muessen-vor-stoerungen-besser-geschuetzt-werden, abgerufen am 25.07.2022

32) Internetseite der Neuen Zürcher Zeitung, Hungerstreik, Kinderverzicht, Studienabbruch – der Klimaprotest der «letzten Generation» trägt sektenhafte Züge, 05.04.2022, https://www.nzz.ch/meinung/klimaprotest-der-letzten-generation-traegt-sektenhafte-zuege-ld.1677176, abgerufen am 25.07.2023

33) Spiegel.de, Aktion der Letzten Generation. Klimademonstranten besprühen Privatjet auf Sylt mit Farbe. 06.06.2023, https://www.spiegel.de/panorama/justiz/letzte-generation-klima-demonstranten-bespruehen-privatjet-auf-sylt-mit-farbe-a-d74ecb97-f712-4cb1-8988-3cada2d6c44c, abgerufen am 25.07.2023

34) bz-berlin.de, Klima-Extremisten fällen Baum vorm Kanzleramt – fürs Klima!, 21.02.2023, https://www.bz-berlin.de/berlin/klimaextremisten-faellen-baum-fuers-klima, abgerufen am 25.07.2023.

35) rtl.de, In der Elbphilharmonie: Klimaaktivisten der »Letzten Generation« blamieren sich, 28.11.2022, https://www.rtl.de/cms/klimaaktivisten-der-letzten-generation-blamieren-sich-in-elbphilharmonie-5018313.html, abgerufen am 25.07.2023

36) ndr.de, Hannover: "Letzte Generation" beschmiert Ernst-August-Denkmal, 06.02.2023, https://www.ndr.de/nachrichten/niedersachsen/hannover_weser-leinegebiet/Hannover-Letzte-Generation-beschmiert-Ernst-August-Denkmal,letztegeneration138.html, abgerufen am 25.07.2023

37) Merkur.de, Millionenstrafe möglich: »Letzte Generation« muss nach Flughafen-Blockade mit schweren Konsequenzen rechnen, 19.07.2023, https://www.merkur.de/deutschland/urlaub-letzte-generation-flughafen-klima-kleber-deutschland-hamburg-duesseldorf-polizeiferien-zr-92398777.html, abgerufen am 25.07.2023

38) rbb24.de, Flugverkehr am BER nach Klimaprotest wieder freigegeben, 24.11.2022, https://www.rbb24.de/panorama/beitrag/2022/11/flughafen-ber-schoenefeld-klima-aktivisten-letzte-generation-gelaende.html, abgerufen am 26.07.2023

39) tagesschau.de, Störaktionen an Flughäfen in Berlin und München, 08.12.2022, https://www.tagesschau.de/inland/klimaprotest-letztegeneration-muenchen-103.html, abgerufen am 26.07.2023

40) br.de, Klimaprotest in München: Flugzeug mit Notfall-Patient umgeleitet, 08.12.2022, https://www.br.de/nachrichten/deutschland-welt/klimaprotest-in-muenchen-flugzeug-mit-notfall-patient-umgeleitet,TPRoRIL, abgerufen am 26.07.2023

41) rbb24.de, Das sind die größten Klimaprotest-Gruppen und ihre Forderungen, 17.04.2023, https://www.rbb24.de/politik/beitrag/2023/04/klima-aktivisten-gruppen-letzte-generation-fridays-for-future-extinction-rebellion.html, abgerufen am 26.07.2023

42) Zeit-Online, Finanzierung von Klimaaktivismus: "Wir brauchen jedes Geld", vom 07.07.2023, https://www.zeit.de/2023/25/klimaaktivismus-finanzierung-letzte-generation-geld/komplettansicht, abgerufen am 13.07.2023

43) The Guardian, Just Stop Oil's 'spring uprising' protests funded by US philanthropists. LA-based based Climate Emergency Fund donated hundreds of thousands of dollars to activists von Damien Gayle, 29.04.2022, https://www.theguardian.com/environment/2022/apr/29/just-stop-oils-protests-funded-by-us-philanthropists, abgerufen am 13.07.2023

44) The Art Newspaper, Getty oil fortune heiress helped fund climate activists who have targeted artworks and museums, von Gabriella Angeleti, 21.10.2022, https://www.theartnewspaper.com/2022/10/21/getty-oil-heiress-funds-climate-crisis-activism-just-stop-oil, abgerufen am 13.07.2023

45) The New-York Times, These Groups Want Disruptive Climate Protests. Oil Heirs Are Funding Them, 25.08.2022, https://www.nytimes.com/2022/08/10/climate/climate-protesters-paid-activists.html, abgerufen am 30.07.2023

46) Salon.com, LLC, Soup on the van Gogh: The painting's fine, and the kids are all right, 22.10.2022, https://www.salon.com/2022/10/22/soup-on-the-van-gogh-the-paintings-fine-and-the-kids-are-all-right/, abgerufen am 30.07.2023

47) Los Angeles Times, Kennedy Family, Friends Say Farewell to Michael, 04.01.1998, https://www.latimes.com/archives/la-xpm-1998-jan-04-mn-4923-story.html, abgerufen am 30.07.2023

48) Los Angeles Times, Rory Kennedy recounts the 1975 fall of Saigon in new film, 20.09.2014, https://www.latimes.com/entertainment/movies/la-et-mn-rory-kennedy-20140921-story.html, abgerufen am 30.07.2023

49) Climate Emergency Fund, 2022 Annual Report, https://static1.squarespace.com/static/60930b2084ef393517963bbe/t/640a71ec66ae9f4ccc1e2b2b/1678406141135/Climate+Emergency+Fund_2022+Annual+Report.pdf, abgerufen am 30.07.2023

50)Liberation.fr, Qui est Aileen Getty, cette héritière du pétrole qui finance les collectifs écologistes radicaux?, 02.11.2022, https://www.liberation.fr/checknews/qui-est-aileen-getty-cette-heritiere-du-petrole-qui-finance-les-collectifs-ecologistes-radicaux-20221102_MOT6RKCQPBF2VNFA3HN7O6QR6Y/, abgerufen am 04.08.2023

50) Stern.de, ANDREW GETTY TOT IM BAD GEFUNDEN. Die Gettys - der traurigste Milliardärs-Clan der Welt, 02.04.2015, https://www.stern.de/lifestyle/andrew-getty—die-gettys—der-traurigste-milliardaers-clan-der-welt-5925966.html, abgerufen am 03.08.2023

51) John Pearson, Painfully rich: the outrageous fortune and misfortunes of the heirs of J. Paul Getty, 1995, S. 147–148, https://archive.org/details/painfullyrichout00pear, abgerufen am 03.08.2023

52) John Pearson, Painfully rich: the outrageous fortune and misfortunes of the heirs of J. Paul Getty, 1995, S. 155, https://archive.org/details/painfullyrichout00pear, abgerufen am 03.08.2023

53) Bild.de, WIEDER TODESDRAMA UM MILLIARDÄRS-FAMILIE. Geld und Drogen verschlingen den Getty-Clan, 25.11.2022, https://www.bild.de/unterhaltung/leute/leute/getty-familie-geld-und-drogen-verschlingen-den-milliardaers-clan-74117186.bild.html, abgerufen am 03.08.2023

54) Telegrap.co.uk., Sir Paul Getty, 17.04.2003, https://web.archive.org/web/20090326085052/http://www.telegraph.co.uk/news/obituaries/1427781/Sir-Paul-Getty.html, abgerufen am 04.04.2023

55) Franceinfo, COP27 : qui est Aileen Getty, l'héritière du pétrole qui finance l'activisme climatique radical), 04.11.2022, https://archive.wikiwix.com/cache/index2.php?url=https%3A%2F%2Fwww.francetvinfo.fr%2Freplay-radio%2Fl-intrus-de-l-actu%2Fcop27-qui-est-aileen-getty-lheritiere-du-petrole-qui-finance-lactivisme-climatique-radical_5430763.html#federation=archive.wikiwix.com&tab=url, abgerufen am 03.08.2023

57) Internetseite des Climate Emergency Fund, Aileen Getty and Rory Kennedy Lead New Climate Fund to Support Activists and Protesters, https://www.climateemergencyfund.org/press/chronicle-of-philanthropy/2019-07-12, abgerufen am 04.08.2023

58) Neue Nürcher Zeitung, 22.10.2020, Timothy Leary experimentierte mit LSD, doch ins Gefängnis brachte ihn Marihuana. Danach gelang ihm die Flucht in die Schweiz, wo er Polo Hofer auf seinen ersten Trip brachte, abgerufen am 16.08.2023

59) Timothy Leary: A Biography, Robert Greenfield, A JAMES H. SILBERMAN BOOK, HARCOURT, INC., 2006, Seiten 575-576

60) Internetseite von Extiction Rebellion, https://rebellion.global/, abgerufen am 26.07.2023

61) Internetseite von Extiction Rebellion in Deutschland, Ortsgruppen, https://extinctionrebellion.de/og/, abgerufen am 26.07.2023

62) rbb24.de, Das sind die größten Klimaprotest-Gruppen und ihre Forderungen, 17.04.2023, https://www.rbb24.de/politik/beitrag/2023/04/klima-aktivisten-gruppen-letzte-generation-fridays-for-future-extinction-rebellion.html, abgerufen am 26.07.2023

63) extinctionrebellion.de, SOLI-AKTION FÜR DIE LETZTE GENERATION!, https://extinctionrebellion.de/veranstaltungen/berlin/soli-action-for-the-last-generation/8298/, abgerufen am 26.07.2023

64) solarifa.eu, Wenige sind schuld an fast der Hälfte der Emissionen, 27.08.2021, https://www.solarify.eu/2021/08/27/040-wenige-sind-schuld-an-fast-der-haelfte-der-emissionen/, abgerufen am 26.07.2023

65) Zeit-online, Scientist Rebellion. Klimaaktivisten blockieren Eingang des Bundesverkehrsministeriums, 18.10.2022, https://www.zeit.de/gesellschaft/zeitgeschehen/2022-10/scientist-rebellion-klimaaktivisten-bundesverkehrsministerium, abgerufen am 27.07.2023

66) De Volkskrant, Na Extinction Rebellion is er nu ook Scientist Rebellion: wat bezielt deze activistische wetenschappers?, 04.11.2022, https://www.volkskrant.nl/wetenschap/na-extinction-rebellion-is-er-nu-ook-scientist-rebellion-wat-bezielt-deze-activistische-wetenschappers~b72b8f33/?referrer=https%3A%2F%2Fde.wikipedia.org%2F&utm_source=link&utm_medium=social&utm_campaign=shared_earned, abgerufen am 27.07.2023

67) tagesspiegel.de, Aktion von „Scientist Rebellion" am Berliner Flughafen: Klimaaktivisten blockieren Privatjet-Terminal am BER, 10.11.2022, https://www.tagesspiegel.de/berlin/aktion-von-scientist-rebellion-am-berliner-flughafen-klimaaktivisten-blockieren-privatjet-terminal-am-ber-8857561.html, abgerufen am 27.07.2023

68) BBC News, M25 protests: Protesters 'may cause serious injury or death', 21.09.2021, https://www-bbc-co-uk.translate.goog/news/uk-

england-surrey-58636399?_x_tr_sl=en&_x_tr_tl=de&_x_tr_hl=de&_x_tr_pto=sc, abgerufen am 27.07.2023

69) Welt.de, In der Nachbarzelle von Charles Manson, 18.07.2006, https://www.welt.de/kultur/article230126/In-der-Nachbarzelle-von-Charles-Manson.html, abgerufen am 16.08.2023

70) taz.de, Bald in Berlin:Soros stiftet Klimainstitut, 11.11.2009, https://taz.de/Bald-in-Berlin/!5152735/, abgerufen am 06.08.2023

71) Cicero.de, DIW - Wir brauchen ein „linkes" Forschungsinstitut, 09.05.2019, https://www.cicero.de/wirtschaft/diw-marcel-fratzscher-forschung-wirtschaft, abgerufen am 06.08.2023

72) Tagesspiegel.de, US-Milliardär George Soros nach seiner Rede vor dem Weltwirtschaftsforum in Davos am Donnerstag: Eine Milliarde Dollar für die offene Gesellschaft: George Soros gründet neues Uni-Netzwerk, 24.01.2020, https://www.tagesspiegel.de/wissen/george-soros-grundet-neues-uni-netzwerk-4139218.html, abgerufen am 06.08.2023

73) Internetseite des Open Society University Network (OSUN), https://opensocietyuniversitynetwork.org/, abgerufen am 06.08.2023

74) 350.org, https://350.org/de/uber350/, abgerufen am 15.08.2023

75) taz.de, Die größte Lüge der Klimapolitik?, https://taz.de/Luisa-Neubauer-im-Interview/!169438/, abgerufen am 15.08.2023

76) Facebook-Seite von MoveOn, 21.02.2021, https://www.facebook.com/moveon/posts/the-time-to-address-climate-change-is-no-longer-something-we-can-wait-on-the-cri/10158086866785493/, abgerufen am 15.087.2023

77) Fox11 Los Angeles, Brad Pitt buys $5.5M Los Feliz home from Getty oil heiress: report, 10.04.2023, https://www.foxla.com/news/brad-pitt-buys-los-feliz-los-angeles-home-aileen-getty, abgerufen am 16.08.2023

78) bild.de, Brad Pitt verkauft Familien-Villa für 39 Millionen Dollar, 29.03.2023, https://www.bild.de/unterhaltung/leute/leute/brad-pitt-verkauft-familien-villa-fuer-39-millionen-dollar-83371516.bild.html, abgerufen am 16.08.2023

79) zeit.de, »Wir brauchen jedes Geld«, 07.06.2023, https://www.zeit.de/2023/25/klimaaktivismus-finanzierung-letzte-generation-geld, aberufen am 15.08.2023

80) Company House Data, https://www.companieshousedata.co.uk/a/55501, abgerufen am 16.08.2023

81) Gov.UK, Companie House, https://find-and-update.company-information.service.gov.uk/company/09622618/filing-history, abgerufen am 16.08.2023

82) Endole.co.uk, https://suite.endole.co.uk/explorer/postcode/ec1y-0tl, abgerufen am 16.08.2023

83) Avaaz.org, About us, https://web.archive.org/web/20080110084550/http://www.avaaz.org/en/about.php, abgerufen am 17.08.2023

84) NGO Monitor, Avaaz, Soros, Israel and the Palestinians, 06.03.2013, http://www.ngo-monitor.org/reports/19/, abgerufen am 17.08.2023

85) Endole.co.uk, https://suite.endole.co.uk/insight/company/12125792-climate-emergency-action-ltd, abgerufen am 17.08.2023

86) Endole.co.uk, https://suite.endole.co.uk/insight/people/26281851-ms-elizabeth-bella-kitchiner-haughton, abgerufen am 17.08.2023

87) The New York Times, These Groups Want Disruptive Climate Protests. Oil Heirs Are Funding Them, 10.08.2022, https://www.nytimes.com/2022/08/10/climate/climate-protesters-paid-activists.html, abgerufen am 17.08.2023

88) Philanthropy News Digest, Rockefeller family pledges $30 million to fight fossil fuels, 10.05.2021, https://philanthropynewsdigest.org/news/rockefeller-family-pledges-30-million-to-fight-fossil-fuels, abgerufen am 17.08.2023

89) Internetseite derEquation Campaign, https://www.equationcampaign.org/about-us, abgerufen am 17.08.2023

90) Forbes, https://www.forbes.com/sites/eshachhabra/2015/11/30/bill-gates-rallies-with-tech-leaders-to-launch-a-multi-billion-dollar-energy-fund/,30.11.2015, https://www.forbes.com/sites/eshachhabra/2015/11/30/bill-gates-rallies-with-tech-leaders-to-launch-a-multi-billion-dollar-energy-fund/, 30.11.2015, abgerufen am 17.08.2023

91) Business-leaders.net, Breakthrough Energy - und der Green Deal for Europe, 10.07.2022, https://www.business-leaders.net/breakthrough-energy-und-der-green-deal-for-europe/, abgerufen am 17.08.2023

92) Time, Al Gore Wants You to Join the Climate Reality, 12.07.2011, https://science.time.com/2011/07/12/al-gore-wants-you-to-join-the-climate-reality/, abgerufen am 17.08.2023

93) Luxemburger Wort, Krieg schadet dem Klima und steigert das Geschäft, 16.07.2023, https://www.wort.lu/international/krieg-schadet-dem-klima-und-steigert-das-geschaft/2018034.html, abgerufen am 18.08.2023

94) ZDF.de, Forscher berechnen Emissionen:Diese Folgen hat der Krieg für das Klim, 07.06.2023, https://www.zdf.de/nachrichten/panorama/klima-fussabdruck-ukraine-krieg-russland-100.html, abgerufen am 18.08.2023

95) tagesschau.de, Welche Folgen hat der Krieg für das Klima?, 08.11.2022, https://www.tagesschau.de/faktenfinder/klima-krieg-ukraine-101.html#:~:text=Es%20gibt%20lediglich%20Untersuchungen%20dazu,Millionen%20Tonnen%20CO2-Äquivalent%20verantwortlich., abgerufen am 18.08.2023

96) New York Times - online, George Soros Bet Big on Liberal Democracy. Now He Fears He Is Losing, 17.07.2018, https://www.nytimes.com/2018/07/17/magazine/george-soros-democrat-open-society.html, abgerufen am 25.08.2023

97) Neue Zürcher Zeitung, Wie George Soros vom Messias zum Volksfeind wurde, 14.05.2019, https://www.nzz.ch/international/wie-george-soros-vom-messias-zum-volksfeind-wurde-ld.1474124, abgerufen am 23.08.2023

98) Giuseppe Franco, Handbuch Karl Popper, Springer-Verlag, 2019, 9783658162399, Seite 79, https://books.google.de/books?id=jSiXDwAAQBAJ&pg=PA79#v=onepage&q&f=false, abgerufen am 24.08.2023

99) Glen Arnold: The Great Investors: Lessons on Investing from Master Traders. Pearson, 2012, ISBN 978-0-273-74325-5, S. 4

100) süddeutsche. de, Der Milliardenzocker, dem der Kapitalismus zu kalt ist, 17.05.2010, https://www.sueddeutsche.de/geld/sz-serie-die-grossen-spekulanten-4-der-milliardenzocker-dem-der-kapitalismus-zu-kalt-ist-1.574892, abgerufen am 24.08.2023

101) Rolf Morrien, Heinz Vinkelau: Alles, was Sie über Jim Rogers wissen müssen: Der Indiana Jones der Finanzwelt. FinanzBuch, 2020, ISBN 3-95972-261-3, S. 27, https://books.google.de/books?id=XsnSDwAAQBAJ&pg=PA27#v=onepage&q&f=false, abgerufen am 24.08.2023

102) Rolf Morrien, Heinz Vinkelau: Alles, was Sie über Jim Rogers wissen müssen: Der Indiana Jones der Finanzwelt. FinanzBuch, München 2020, ISBN 3-95972-261-3, S. 27, https://books.google.de/books?id=XsnSDwAAQBAJ&pg=PA27#v=onepage&q&f=false, abgerufen am 24.08.2023

103) Spiegel.de, US-Milliardär Soros in Frankreich verurteilt, 14.06.2006, https://www.spiegel.de/wirtschaft/insiderhandel-us-milliardaer-soros-in-frankreich-verurteilt-a-421457.html, abgerufen am 24.06.2023

104) welt.de, George Soros spendet 80 Prozent seines Vermögens, 19.10.2017, https://www.welt.de/print/die_welt/finanzen/article169789912/George-Soros-spendet-80-Prozent-seines-Vermoegens.html, abgerufen am 24.08.2023.

105) Spiegel.de, »Der Mark droht ein Desaster«, 13.06.1993, https://www.spiegel.de/wirtschaft/der-mark-droht-ein-desaster-a-0eb83a9e-0002-0001-0000-000013690146, abgerufen am 24.08.2023

106) Internetseite der Open Soviety Foundations, Open Society in Deutschland, https://www.opensocietyfoundations.org/uploads/a670fbf1-8f26-4058-9d71-286b2c3eeaa0/factsheet-osf-germany-de-20181106.pdf, abgerufen am 24.08.2023

107) tagesschau.de, Milliarden für die "offene Gesellschaft", 27.02.2019, https://www.tagesschau.de/faktenfinder/soros-stiftungen-101.html, abgerufen am 24.08.2023

108) welt.de, George Soros spendet 80 Prozent seines Vermögens, 19.10.2017, https://www.welt.de/print/die_welt/finanzen/article169789912/George-Soros-spendet-80-Prozent-seines-Vermoegens.html, abgerufen am 24.08.2023.

109) Helmut Müller-Enbergs: Zusammenfassende gutachterliche Stellungnahme zu Frau Anetta Kahane und die DDR-Staatssicherheit. 26. November 2014, https://www.amadeu-antonio-stiftung.de/w/files/pdfs/gutachten-anetta-kahane.pdf, abgerufen am 24.08.2023

110) spiegel.de, Soros-Spende, Zehn Millionen Dollar gegen George W. Bush, 08.08.2003, https://www.spiegel.de/politik/ausland/soros-spende-zehn-millionen-dollar-gegen-george-w-bush-a-260653.html, abgerufen am 24.08.2023

111) businessinsider.de, Geheimtreffen der US-Giganten: Star-Investor Soros erklärt Trump den Krieg, 17.11.2016, https://www.businessinsider.de/politik/clintons-unterstuetzer-und-investor-soros-erklaeren-trump-den-krieg-2016-11/, abgerufen am 24.08.2023

112) reuters.com, Soros-Stifung erwägt wegen AfD auch Engagement in Deutschland. 20.06.2019, https://www.reuters.com/article/deutschland-soros-idDEKCN1TL29X, abgerufen am 25.08.2023

113) bundestag.de, Deutscher Bundestag, Drucksache 19/8045, 19. Wahlperiode, 27.02.2019, Antwort der Bundesregierung auf die Kleine Anfrage des Abgeordneten Stephan Brandner und der Fraktion der AfD, – Drucksache 19/7397 – Treffen der Bundesjustizministerin Dr. Katarina Barley mit George Soros, https://dserver.bundestag.de/btd/19/080/1908045.pdf, abgerufen am 25.08.2023

114) bundestag.de, Minister trafen sich mit Alexander Soros, 22.02.2023, https://www.bundestag.de/presse/hib/kurzmeldungen-935214, abgerufen am 25.08.2023

115) reuters.com, Zeitung - Milliardär Soros spendet erneut für Brexit-Gegner, 12.02.2018, https://www.reuters.com/article/brexit-soros-idDEKBN1FW0EA, abgerufen am 25.08.2023

116) https://www.frank-schwabe.de, Gespräch mit der Open Society Foundation,https://www.frank-schwabe.de/de/topic/48.termine.html?id=5202, abgerufen am 25.08.2023

117) instagram-Seite von Annalena Baerbock, 16.02.2019, https://www.instagram.com/p/Bt9HSYHHXo5/?img_index=5, abgerufen am 25.08.2023

118) Instagram-Seite von Alexander Soros, 17.01.2023, https://www.instagram.com/p/CniKxQbrrZE/, abgerufen am 25.08.2023

119) Instagram-Seite von Alexander Soros, 18.02.2023 2023, https://www.instagram.com/p/CniKxQbrrZE/, abgerufen am 25.08.2023

120) Instagram-Seite von Alexander Soros, 28.02.2022, https://www.instagram.com/p/Cah1ufSL4MD/, abgerufen am 25.08.2023

121) lobbyregister.bundestag.de, OSF Services Berlin GmbH, https://www.lobbyregister.bundestag.de/suche-im-lobbyregister?lang=de, abgerufen am 25.08.2023

122) Internetseite Hallo Bundestag, Informationen für ausgeloste Erwachsene, https://hallobundestag.de/gelost/Erwachsene, abgerufen am 25.08.2023

123) Wikipedia.org, Wikimedia Foundation, https://de.wikipedia.org/wiki/Wikimedia_Foundation, abgerufen am 25.08.2023

124) Form990, OPEN SOCIETY INSTITUTE, 2021

125) Form990, OPEN SOCIETY INSTITUTE, 2021

126) gegen-antifeminismus.de, https://gegen-antifeminismus.de/impressum/, abgerufen am 25.08.2023

127) Internetseite der Amadeu-Antonio-Stiftung, https://www.amadeu-antonio-stiftung.de/foerderung/foerderpreise-foerderprogramme/, abgerufen am 25.08.2023

128) Neue deutsche Medienmacher, https://neuemedienmacher.de/fileadmin/user_upload/Ta__tigkeitsbericht_ITZ_2021.pdf, abgerufen am 25.08.2023

129) dgap.org, https://dgap.org/de/foerderer, abgerufen am 25.08.2023

130) Wikipedia über Caroline Glick, https://en.wikipedia.org/wiki/Caroline_Glick, abgerufen am 02.07.2020

131) Caroline B. Glick, Our World: Soros's campaign of global chaos, Jerusalem Post, 22. August 2016, https://www.jpost.com/opinion/our-world-soross-campaign-of-global-chaos-464770, abgerufen am 02.07.2020

132) welt.de, „Die Ukraine ist wichtiger als Griechenland" von George Soros, 04.04.2015, https://www.welt.de/debatte/kommentare/article139050294/Die-Ukraine-ist-wichtiger-als-Griechenland.html, abgerufen am 25.08.2023

133) SWI, swissinfo.ch, 30. November 2015, https://www.swissinfo.ch/ita/russia--fondazione-soros-in-lista-ong--non-gradite-/41808894, abgerufen am 02.07.2020

134) SWI, swissinfo.ch, 30. November 2015, https://www.swissinfo.ch/ita/russia--fondazione-soros-in-lista-ong--non-gradite-/41808894, abgerufen am 02.07.2020

135) SWI, swissinfo.ch, 30. November 2015, https://www.swissinfo.ch/ita/russia--fondazione-soros-in-lista-ong--non-gradite-/41808894, abgerufen am 02.07.2020

136) Open Society Foundations, The Open Society Foundations in Ukraine, https://www.opensocietyfoundations.org/newsroom/the-open-society-foundations-in-ukraine, abgerufen am 02.07.2020

137) Wikipedia, Euromaidan, https://de.wikipedia.org/wiki/Euromaidan, abgerufen am 02.07.2020

138) Wikipedia, Correctiv, https://de.wikipedia.org/wiki/Correctiv, abgerufen am 25.08.2023

139) correctiv.org, https://correctiv.org/ueber-uns/finanzen/, abgerufen am 26.08.2023

140) welt.de, George Soros spendet 80 Prozent seines Vermögens, 19.10.2017, https://www.welt.de/print/die_welt/finanzen/article169789912/George-Soros-spendet-80-Prozent-seines-Vermoegens.html, abgerufen am 24.08.2023.

141) Internetseite des Soros Fund Management LLC, https://sorosfundmgmt.com/, abgerufen am 26.08.2023

142) manager-magazin.de, George Soros überträgt Kontrolle über Milliardenimperium an Sohn, 12.06.2023, https://www.manager-magazin.de/finanzen/geldanlage/george-soros-alexander-soros-kontrolliert-kuenftig-open-society-foundations-das-milliardenimperium-des-vaters-a-9c0bd173-da34-489b-b5c7-06a77033fede, abgerufen am 12.08.2023

143) capital.de, Alexander Soros: Wer ist der Erbe des Soros-Imperiums?, 12.06.2023, https://www.capital.de/wirtschaft-politik/alexander-soros--wer-ist-der-erbe-des-soros-imperiums--33551200.html, abgerufen am 12.08.2023

144) securityconference.org, Advisory Council, https://securityconference.org/ueber-uns/advisory-council/, abgerufen am 13.08.2023

145) Open Society Foundations, Alexander Soros, https://www.opensocietyfoundations.org/who-we-are/board-of-directors/alexander-soros, abgerufen am 13.08.2023

146) Business Standard, Meet Alex Soros, the man in-charge of running a $25 billion empire, 12.06.2023, https://www.business-standard.com/world-news/meet-alex-soros-the-man-in-charge-of-running-a-25-billion-empire-123061200870_1.html, abgerufen am 13.08.2023

147) finews.ch, Das ist der neue Herr der Soros-Milliarden, 12.06.2023, https://www.finews.ch/themen/guruwatch/57753-george-soros-open-society-foundation-chairman-nachfolge-alexander-soros-donald-trump, abgerufen am 13.08.2023

148) foxnews.com, Alex Soros' access to Biden's White House continues as he's now visited at least 20 times, records show, 05.07.2023, https://www.foxnews.com/politics/alex-soros-access-bidens-white-house-continues-visited-20-times-records-show, abgerufen am 13.08.2023

149) Twitter-Account von Alexander Soros, 06.06.2023, https://

twitter.com/AlexanderSoros/status/1666129577255788544?lang=de, abgerufen am 13.08.2023

150) 13f.info, SOROS FUND MANAGEMENT LLC Q2 2023 13F Holdings, https://13f.info/13f/000090266423004378-soros-fund-management-llc-q2-2023, abgerufen am 26.08.2023

151) oitchbook.com, https://pitchbook.com/profiles/advisor/42830-02#companies, abgerufen am 27.08.2023

152) US.News, Billionaire George Soros' 7 Top Stock Picks in 2023, 15.08.2023, https://money.usnews.com/investing/stock-market-news/slideshows/george-soros-top-stock-picks, abgerufen am 27.08.2023

153) Manager-Magazin.de, 5 Fakten über Starinvestor Soros, 30.09.2016, https://www.manager-magazin.de/fotostrecke/george-soros-der-mit-dem-pfund-tanzte-fotostrecke-141463.html, aberufen am 27.08.2023

154) encyklopaedia.com, Soros Fund Management LLC, https://www.encyclopedia.com/books/politics-and-business-magazines/soros-fund-management-llc, abgerufen am 27.08.2023

155) dundinguniverse.com, Soros Fund Management LLC History, http://www.fundinguniverse.com/company-histories/soros-fund-management-llc-history/, abgerufen am 27.08.2023

156) dundinguniverse.com, Soros Fund Management LLC History, http://www.fundinguniverse.com/company-histories/soros-fund-management-llc-history/, abgerufen am 27.08.2023

157) dundinguniverse.com, Soros Fund Management LLC History, http://www.fundinguniverse.com/company-histories/soros-fund-management-llc-history/, abgerufen am 27.08.2023

158) dundinguniverse.com, Soros Fund Management LLC History, http://www.fundinguniverse.com/company-histories/soros-fund-management-llc-history/, abgerufen am 27.08.2023

159) telegraph.co.uk, George Soros closes funds: the letter in full, 26.07.2011, https://www.telegraph.co.uk/finance/personalfinance/investing/8663995/George-Soros-closes-funds-the-letter-in-full.html, abgerufen am 27.08.2023

160) limes-8.com, https://limes-8.com/de/personen/george-soros/, abgerufen am 28.08.2023

161) US-News, Billionaire George Soros' 7 Top Stock Picks in 2023, 15.08.2023, https://money.usnews.com/investing/stock-market-news/slideshows/george-soros-top-stock-picks, abgerufen am 28.08.2023

162) Aero Telegraph, Aercap platzierte im ersten Quartal 28 Flugzeuge, 6.04.2020, https://www.aerotelegraph.com/aercap-platzierte-im-ersten-quartal-28-flugzeuge, abgerufen am 28.08.2023

163) ishares.com, https://www.ishares.com/de/privatanleger/de/wissen-und-service/etf-wissen, abgerufen am 28.08.2023

164) Süddeutsche Zeitung: Blackrock herrscht über Billionen, 14. Januar 2022, https://www.sueddeutsche.de/wirtschaft/finanzdienstleister-blackrock-herrscht-ueber-billionen-1.5507483, abgerufen am 28.08.2023

165) Forbes.com, Kenneth Rapoza: Why The World's Largest Asset Manager Is Playing Defense, 08.07.2019, https://www.forbes.com/sites/kenrapoza/2019/07/08/why-the-worlds-largest-asset-manager-is-playing-defense/, abgerufen am 28.08.2023

166) Statista, Verwaltetes Vermögen von BlackRock in den Jahren von 2010 bis 2022, 17.04.2023, https://de.statista.com/statistik/daten/studie/434014/umfrage/verwaltetes-vermoegen-von-blackrock/, abgerufen am 28.08.2023

167) Lara Cuvelier, Lucie Pinson: One Year On: BlackRock still addicted to fossil fuels. Reclaim Finance, Januar 2021, https://reclaimfinance.org/site/wp-content/uploads/2021/01/OneYearOnBlackRockStillAddictedToFossilFuels.pdf, abgerufen am 28.08.2020

168) Bundesanstalt für Finanzdienstleistungsaufsicht (BaFin), BlackRock: BaFin verhängt Bußgeld in Höhe von 3,25 Mio. Euro, 20.03.2015, https://www.bafin.de/SharedDocs/Veroeffentlichungen/DE/Meldung/2015/meldung_150320_bussgeld_blackrock.html, abgerufen am 28.08.2023

169) Statista, Beteiligungen des Vermögensverwalters BlackRock am Aktienkapital von im DAX gelisteten Unternehmen, 21.06.2022, https://de.statista.com/statistik/daten/studie/518085/umfrage/groesste-blackrock-beteiligungen-am-aktienkapital-von-dax-unternehmen/, abgerufen am 28.08.2023

170) Lebenslauf von Friedrich Merz auf der Internetseite der CDU, https://archiv.cdu.de/system/tdf/media/dokumente/lebenslauf-merz.pdf?file=1, abgerufen am 28.08.2023

170) Deutschlandfunk, 5.10.2020, Aufstand gegen Slobodan Miloševiæ, https://www.deutschlandfunk.de/aufstand-gegen-slobodan-milosevic-vor-20-jahren-stuermten-100.html, abgerufen am 18.07.2022

171) Los Angeles Times, The Seed Money for Democracy 26.01.2001,

https://www.latimes.com/archives/la-xpm-2001-jan-26-mn-17288-story.html, abgerufen am 18.07.2022

172) Schweizer Radio und Fernsehen (SFR), Kunst des Widerstands, 16.02.2015, 10:10 Uhr, https://www.srf.ch/kultur/gesellschaft-religion/kunst-des-widerstands/er-half-milosevic-zu-stuerzen-heute-ist-er-revolutions-trainer, abgerufen am 08.03.2022

173) Schweizer Radio und Fernsehen (SFR), Kunst des Widerstands, 16.02.2015, 10:10 Uhr, https://www.srf.ch/kultur/gesellschaft-religion/kunst-des-widerstands/er-half-milosevic-zu-stuerzen-heute-ist-er-revolutions-trainer, abgerufen am 08.03.2022

174) Manuela Vasiæ, „Otpor! - Gewaltfreie Revolution als Instrument externer Demokratieförderung?" (Diplomarbeit), Wien 2014, file:///C:/Users/User/Downloads/27799.pdf, abgerufen am 19.07.2022

175) New York Times, zitiert in Der Spiegel, Die Revolutions-GmbH, Nr. 46/2005, Seite 188, https://magazin.spiegel.de/EpubDelivery/spiegel/pdf/43103188, abgerufen am 08.03.2021

176) Gerald Sussmann lt. SWR, Die Macht des George Soros, 8.11.2017, https://www.swr.de/-/id=20605396/property=download/nid=659934/utsv37/index.pdf, abgerufen am 20.07.2022

177) Open Society Foundations, https://www.opensocietyfoundations.org/uploads/2519658d-a95b-44bd-b9d3-edec9039de24/partners_20090720_0.pdf

178) Message Archiv, Der große Regulator von Maria Huber, Nr. 1-2007, Seite 18-21, https://www.message-online.com/wp-content/uploads/message_2007-1_s181.pdf, abgerufen am 26.08.2022

179) Spiegel-Online, Robert Helvey – Der Umsturzhelfer, 21.11.2005 https://www.spiegel.de/politik/ausland/robert-helvey-der-Umsturz-helfer-a-386006.html, abgerufen am 26.08.2022

180) Georgien-news.de, Wahl special – News, 12.11.2003, http://www.erkanet.de/georgien-news/oldarchiv/archive/2003/issue_019_1211/wahlnews.php, abgerufen am 14.03.2022

181) Internetseite The Global Strategy Group, https://globalstrategygroup.com/about/, abgerufen am 15.08.2022

182) Civil.ge, Daily News online, 29.10.2003, https://old.civil.ge/eng/_print.php?id=5312, abgerufen am 15.08.2022

183) Zitiert in Juliane Küchholz, Die Rosenrevolution in Georgien – Ausdruck der Demokratie oder ein von der USA erkaufter Putsch?, Arbeitspapier des Osteuropa-Instituts der freien Universität Berlin,

Arbeitsbereich Politik und Geschichte, 2005, https://www.oei.fu-berlin.de/politik/Arbeitspapiere/AP49-3.pdf, abgerufen am 14.03.2022

184) Zitiert in Juliane Küchholz, Die Rosenrevolution in Georgien – Ausdruck der Demokratie oder ein von der USA erkaufter Putsch?, Arbeitspapier des Osteuropa-Instituts der freien Universität Berlin, Arbeitsbereich Politik und Geschichte, 2005, https://www.oei.fu-berlin.de/politik/Arbeitspapiere/AP49-3.pdf, abgerufen am 14.03.2022

185) Wirtschaftswoche, Wer hat Angst vor George Soros, 23. Oktober 2017, https://www.wiwo.de/politik/europa/us-milliardaer-wer-hat-angst-vor-george-soros/20490804-all.html, abgerufen am 14.03.2022

186) SWR2 Feature, Die Macht des George Soros „Regime Change" in der Ukraine und in Georgien, von Matthias Holland-Letz, 8. November 2017, https://www.swr.de/-/id=20605396/property=download/nid=659934/utsv37/index.pdf, abgerufen am 15.03.2022

187) Juliane Küchholz, Die Rosenrevolution in Georgien – Ausdruck der Demokratie oder ein von der USA erkaufter Putsch?, Arbeitspapier des Osteuropa-Instituts der freien Universität Berlin, Arbeitsbereich Politik und Geschichte, 2005, https://www.oei.fu-berlin.de/politik/Arbeitspapiere/AP49-3.pdf, abgerufen am 14.03.2022

188) Wikipedia, Kmara!, https://de.wikipedia.org/wiki/Kmara!, abgerufen am 19.08.2022

189) Sputnik, https://vid1.ria.ru/ig/infografika/kafidov/Sputnik/int/usa/page598962.html, abgerufen am 14.03.2022

190) Deutsche Welle, UKRAINE. Kornkammer und Zulieferer: Die Wirtschaft der Ukraine, 11.03.2022, https://www.dw.com/de/kornkammer-und-zulieferer-die-wirtschaft-der-ukraine/a-61082677, abgerufen am 15.03.2022

191) MdR, 15.01.2020, Warum US-Milliardär Soros in der Ukraine zum Buhmann wird, https://www.mdr.de/nachrichten/welt/osteuropa/politik/ukraine-soros-kampagne-100.html, abgerufen am 25.07.2022

192) Der Spiegel 46/2005, Die Revolutions-GmbH, 13.11.2005, https://www.spiegel.de/politik/die-revolutions-gmbh-a-0ff5abd6-0002-0001-0000-000043103188, abgerufen am 15.03.2022

193) National Democratic Intitute, ndi.org/partners, https://ndi.org/partners, abgerufen am 07.08.2022

194) SOROS FOUNDATIONS NETWORK REPORT 2004, Open Society Foundations

195) Der Spiegel 46/2005, Die Revolutions-GmbH, 13.11.2005, https://www.spiegel.de/politik/die-revolutions-gmbh-a-0ff5abd6-0002-0001-0000-000043103188, abgerufen am 15.03.2022

196) SWR2 Feature, Die Macht des George Soros „Regime Change" in der Ukraine und in Georgien, von Matthias Holland-Letz, 8. November 2017, https://www.swr.de/-/id=20605396/property=download/nid=659934/utsv37/index.pdf, abgerufen am 15.03.2022

197) Spiegel Online, Die Reifeprüfung, 13.12.2004, https://www.spiegel.de/politik/die-reifepruefung-a-b7c2f030-0002-0001-0000-000038566539, abgerufen am 20.08.2022

198) SWR2 Feature, Die Macht des George Soros „Regime Change" in der Ukraine und in Georgien, von Matthias Holland-Letz, 8. November 2017, https://www.swr.de/-/id=20605396/property=download/nid=659934/utsv37/index.pdf, abgerufen am 15.03.2022

199) Der Spiegel 46/2005, Die Revolutions-GmbH, 13.11.2005, https://www.spiegel.de/politik/die-revolutions-gmbh-a-0ff5abd6-0002-0001-0000-000043103188, abgerufen am 15.03.2022

200) Internetseite von Freedomhouse, Our History, https://freedomhouse.org/about-us/our-history, abgerufen am 07.08.2022

201) Annual Report 2010, Jahresbericht 2010, Open Society Foundations

202) Internetseite der Open Society Foundations, OSF, The Open Society Foundations in Ukraine, 28.01.2020, https://www.opensocietyfoundations.org/newsroom/the-open-society-foundations-in-ukraine, abgerufen am 17.03.2022

203) Internetseite der Open Society Foundations, OSF, Open Society Launches Fund for a Free and Democratic Ukraine, 03.03.2022, https://www.opensocietyfoundations.org/newsroom/open-society-launches-fund-for-a-free-and-democratic-ukraine, abgerufen am 17.03.2022

204) Frankfurter Allgemein Zeitung, Teufel gegen Beelzebub, 01.11.2004, https://www.genios.de/presse-archiv/artikel/FAZ/20041101/teufel-gegen-beelzebub-die-nachfolg/FD1200411012530201.html, abgerufen am 22.08.2022

205) Kiviv Post. 1.12.2013, Back to the Middle Ages on the way to Europe, https://www.kyivpost.com/article/content/euromaidan/back-to-the-middle-ages-on-the-way-to-europe-beaten-kyiv-protesters-take-refuge-in-ancient-church-yard-332719.html, abgerufen am 24.07.2022

206) Finanzbericht Hromadske.TV, Annual Financial Report 2013, https://web.archive.org/web/20140825201352/http://www.hromadske.tv/files/6/a/6aabd00-annual-fin-report—eng.pdf, abgerufen am 24.07.2022

207) Wiener Zeitung Online, Der wackelige Heldenmythos der Ukraine, 20.02.2022, https://www.wienerzeitung.at/nachrichten/politik/europa/2138301-Der-wackelige-Heldenmythos-der-Ukraine.html, abgerufen am 25.07.2022

208) Neue Zürcher Zeitung, Chronologie der Maidan-Revolution, 22.04.2022, https://www.nzz.ch/international/ukraine-chronologie-der-maidan-revolution-ld.1290571, abgerufen am 24.07.2022

209) Spiegel-Online, „Es war eine Provokation", 22.02.2015, https://www.spiegel.de/politik/ausland/ukraine-ex-innenminister-sachartschenko-ueber-den-maidan-aufstand-a-1018358.html, abgerufen am 24.07.2022

210) Der Standard, Ex-Premier: Umsturz in Ukraine von USA gesteuert, 3.02.2015, https://www.derstandard.at/story/2000011236567/ex-premier-umsturz-in-ukraine-von-usa-gesteuert, abgerufen am 24.07.2022

211) Phoenix »der tag«, 20.1.2015, https://www.youtube.com/watch?v=m9R5UEVMJHE&t=118s, abgerufen am 25.07.2022

212) Internetseite der Open Society Foundations, Die Open Society Foundations in Tunesien, 13.07.2022, https://www.opensocietyfoundations.org/newsroom/the-open-society-foundations-in-tunisia, abgerufen am 01.08.2022

213) Said AlDailami / Martin Pabst DER ARABISCHE UMBRUCH – EINE ZWISCHENBILANZ Interne Dynamik und externe Einmischung. Hanns-Seidel.Stiftung e.V., Berichte & Studien 99, https://www.hss.de/download/publications/Berichte_Studien_99.pdf, abgerufen am 01.08.2022

214) Said AlDailami / Martin Pabst DER ARABISCHE UMBRUCH – EINE ZWISCHENBILANZ Interne Dynamik und externe Einmischung. Hanns-Seidel.Stiftung e.V., Berichte & Studien 99, https://www.hss.de/download/publications/Berichte_Studien_99.pdf, abgerufen am 01.08.2022

215) Said AlDailami / Martin Pabst DER ARABISCHE UMBRUCH – EINE ZWISCHENBILANZ Interne Dynamik und externe Einmischung. Hanns-Seidel.Stiftung e.V., Berichte & Studien 99, https://www.hss.de/download/publications/Berichte_Studien_99.pdf, abgerufen am 01.08.2022

216) Said AlDailami / Martin Pabst DER ARABISCHE UMBRUCH – EINE ZWISCHENBILANZ Interne Dynamik und externe Einmischung. Hanns-Seidel.Stiftung e.V., Berichte & Studien 99, https://www.hss.de/download/publications/Berichte_Studien_99.pdf, abgerufen am 01.08.2022

217) CMCS Annual Report for the academic year 2010-2011, https://cmds.ceu.edu/sites/cmcs.ceu.hu/files/attachment/basicpage/285/annualreportcmcs201011_0.pdf, abgerufen am 02.08.2022

218) CMCS Annual Report for the academic year 2010-2011, https://cmds.ceu.edu/sites/cmcs.ceu.hu/files/attachment/basicpage/285/annualreportcmcs201011_0.pdf, abgerufen am 02.08.2022

219) CMCS Annual Report for the academic year 2010-2011, https://cmds.ceu.edu/sites/cmcs.ceu.hu/files/attachment/basicpage/285/annualreportcmcs201011_0.pdf, abgerufen am 02.08.2022

220) National Endowment for Democracy: Form 990, 2005, https://archive.org/details/NED990/NED_Form990_2006/, abgerufen am 03.08.2022

221) NED-Grants – Google Drive, https://docs.google.com/spreadsheets/d/1gaBuueuNy0FRCQgv8iBA1tjyZNM5qBf_u4ulWo6DjLs/htmlview, abgerufen am 03.08.2022

222) National Endowment for Democracy: Form 990, 2006, https://archive.org/details/NED990/NED_Form990_2007/, abgerufen am 03.08.2022

223) NED-Grants – Google Drive, https://docs.google.com/spreadsheets/d/1gaBuueuNy0FRCQgv8iBA1tjyZNM5qBf_u4ulWo6DjLs/htmlview, abgerufen am 03.08.2022

224) National Endowment for Democracy: Form 990, 2007, https://archive.org/details/NED990/NED_Form990_2008/, abgerufen am 03.08.2022

225) Neue Zürcher Zeitung, Opferbilanz des Umsturzes in Tunesien, 07.05.2012, https://www.nzz.ch/opferbilanz-des-umsturzes-in-tunesien-ld.1125047, abgerufen am 03.08.2022

226) Internetseite des Auswärtigen Amts, Tunesien: Reise- und Sicherheitshinweise, 03.08.2022, https://www.auswaertiges-amt.de/de/ReiseUndSicherheit/tunesiensicherheit/219024, abgerufen am 03.08.2022

227) Internetseite des Auswärtigen Amts, Tunesien: Reise- und Sicherheitshinweise, 03.08.2022, https://www.auswaertiges-amt.de/de/ReiseUndSicherheit/tunesiensicherheit/219024, abgerufen am 03.08.2022

228) Internetseite des Auswärtigen Amts, Tunesien: Reise- und Sicherheitshinweise, 03.08.2022, https://www.auswaertiges-amt.de/de/ReiseUndSicherheit/tunesiensicherheit/219024, abgerufen am 03.08.2022

229) Süddeutsche-Zeitung online, Tunesien fällt in düstere Zeiten zurück, 18.05.2022, https://www.sueddeutsche.de/politik/tunesien-demokratie-praesident-demonstrationen-1.5586421, abgerufen am 04.08.2022

230) Ali El Hadj Tahar, LE PRINTEMPS ARABE : UNE REVOLUTION CONTESTEE, 11.05.2013, in djazairess, Algerien, https://www-djazairess-com.translate.goog/fr/lesoirdalgerie/148744?_x_tr_sl=fr&_x_tr_tl=de&_x_tr_hl=de&_x_tr_pto=op,sc, abgerufen am 04.08.2022

231) Ali El Hadj Tahar, LE PRINTEMPS ARABE : UNE REVOLUTION CONTESTEE, 11.05.2013, in djazairess, Algerien, https://www-djazairess-com.translate.goog/fr/lesoirdalgerie/148744?_x_tr_sl=fr&_x_tr_tl=de&_x_tr_hl=de&_x_tr_pto=op,sc, bgerufen am 04.08.2022

232) Ali El Hadj Tahar, LE PRINTEMPS ARABE : UNE REVOLUTION CONTESTEE, 11.05.2013, in djazairess, Algerien, https://www-djazairess-com.translate.goog/fr/lesoirdalgerie/148744?_x_tr_sl=fr&_x_tr_tl=de&_x_tr_hl=de&_x_tr_pto=op,sc, abgerufen am 04.08.2022

233) Ali El Hadj Tahar, LE PRINTEMPS ARABE : UNE REVOLUTION CONTESTEE, 11.05.2013, in djazairess, Algerien, https://www-djazairess-com.translate.goog/fr/lesoirdalgerie/148744?_x_tr_sl=fr&_x_tr_tl=de&_x_tr_hl=de&_x_tr_pto=op,sc, abgerufen am 04.08.2022

234) Ali El Hadj Tahar, LE PRINTEMPS ARABE : UNE REVOLUTION CONTESTEE, 11.05.2013, in djazairess, Algerien, https://www-djazairess-com.translate.goog/fr/lesoirdalgerie/148744?_x_tr_sl=fr&_x_tr_tl=de&_x_tr_hl=de&_x_tr_pto=op,sc, abgerufen am 04.08.2022

235) Ali El Hadj Tahar, LE PRINTEMPS ARABE : UNE REVOLUTION CONTESTEE, 11.05.2013, in djazairess, Algerien, https://www-djazairess-com.translate.goog/fr/lesoirdalgerie/

148744?_x_tr_sl=fr&_x_tr_tl=de&_x_tr_hl=de&_x_tr_pto=op,sc, abgerufen am 04.08.2022

236) Hannes Hofbauer im Telegraph-Magazin, Berlin, #125/126, Zur geopolitischen Instrumentalisierung gesellschaftlicher Unzufriedenheit: die farb- und Blumenrevolutionen der 00er Jahre, https://telegraph.cc/archiv/telegraph-125-126/zur-geopolitischen-instrumentalisierung-gesellschaftlicher-unzufriedenheit-die-farb-und-blumenrevolutionen-der-00er-jahre/, abgerufen am 04.08.2022

237) Hannes Hofbauer im Telegraph-Magazin, Berlin, #125/126, Zur geopolitischen Instrumentalisierung gesellschaftlicher Unzufriedenheit: die Farb- und Blumenrevolutionen der 00er Jahre, https://telegraph.cc/archiv/telegraph-125-126/zur-geopolitischen-instrumentalisierung-gesellschaftlicher-unzufriedenheit-die-farb-und-blumenrevolutionen-der-00er-jahre/, abgerufen am 04.08.2022

238) BBC-News Online, 24.10.2010, ElBaradei to form 'national association for change', http://news.bbc.co.uk/2/hi/middle_east/8534365.stm, abgerufen am 04.08.2022

239) Internetseite der Global Leadership Foundation, Mohammed El-Baradei, https://www.g-l-f.org/who-we-are/glf-members-listed-by-region/mohamed-elbaradei/, abgerufen am 04.08.2022

240) Internetseite der International Crisis Group, History https://www.crisisgroup.org/who-we-are/history, abgerufen am 05.08.2022

241) Internetseite der International Crisis Group, Board of Trustees, https://www.crisisgroup.org/who-we-are/board, abgerufen am 05.08.2022

242) Saarbrücker Zeitung, 20.04.2011, Kommission: Mubarak verantwortlich für 846 Tote, https://www.saarbruecker-zeitung.de/nachrichten/politik/kommission-mubarak-verantwortlich-fuer-846-tote_aid-910902, abgerufen am 07.08.2022

243) Merkur Online, Über 520 Tote in Ägypten: Opferzahl steigt weiter, 15.08.2013, https://www.merkur.de/politik/tote-aegypten-opferzahl-steigt-weiter-zr-3058738.html, abgerufen am 05.08.2022

244) Spiegel Online, Hunderte Tote in Ägypten - Regierung verhängt Ausgangssperre, 14.08.2013, https://www.spiegel.de/politik/ausland/immer-mehr-opfer-in-aegypten-britischer-kameramann-getoetet-a-916592.html, abgerufen am 05.08.2022

245) Deutschlandfunk 25.01.2018, Staatliche Gewalt in Ägypten, „Viel schlimmer als unter Mubarak", https://www.deutschlandfunkkultur.de/

staatliche-gewalt-in-aegypten-viel-schlimmer-als-unter-100.html, abgerufen am 07.08.2022

246) Domradio.de, 03.11.2018, Erneuter Anschlag, https://www.domradio.de/artikel/hunderte-koptische-christen-trauern-um-terroropfer-aegypten, abgerufen am 07.08.2022

247) Human Rights Watch, 28.05.2019, Ägypten: Schwere Menschenrechtsverletzungen und Kriegsverbrechen im Nord-Sinai, https://www.hrw.org/de/news/2019/05/28/aegypten-schwere-menschenrechtsverletzungen-und-kriegsverbrechen-im-nord-sinai, abgerufen am 07.08.2022

248) Internetseite des Auswärtigen Amts, Ägypten: Reise- und Sicherheitshinweise, https://www.auswaertiges-amt.de/de/ReiseUndSicherheit/aegyptensicherheit/212622, abgerufen am 06.08.2022

249) Internetseite des Auswärtigen Amts, Ägypten: Reise- und Sicherheitshinweise, https://www.auswaertiges-amt.de/de/ReiseUndSicherheit/aegyptensicherheit/212622, abgerufen am 06.08.2022

250) Internetseite des Auswärtigen Amts, Ägypten: Reise- und Sicherheitshinweise, https://www.auswaertiges-amt.de/de/ReiseUndSicherheit/aegyptensicherheit/212622, abgerufen am 06.08.2022

251) AG Friedensforschung, 09.03.2012, DER DEUTSCHE PRESSERAT Oder: Vergewaltigung in aller Öffentlichkeit, http://www.ag-friedensforschung.de/regionen/Libyen/medien5.html, abgerufen am 07.08.2022

252) AG Friedensforschung, 18.02.2012, Hand in Hand, Bewaffneter Aufstand in Libyen, http://www.ag-friedensforschung.de/regionen/Libyen/1jahr2-neu.html, abgerufen am 07.08.2022

253) AG Friedensforschung, 18.02.2012, Hand in Hand, Bewaffneter Aufstand in Libyen, http://www.ag-friedensforschung.de/regionen/Libyen/1jahr2-neu.html, abgerufen am 07.08.2022

254) Wikipedia, Libyan League for Human Rights, https://en.wikipedia.org/wiki/Libyan_League_for_Human_Rights#cite_note-1, abgerufen am 20.08.2022

255) Wikipedia, EuroMed Rights, https://en.wikipedia.org/wiki/EuroMed_Rights, abgerufen am 20.08.2022

256) The Guardian, 26.10.2011, If the Libyan war was about saving lives, it was a catastrophic failure, https://www.theguardian.com/

commentisfree/2011/octJ26/libya-war-saving-lives-catastrophic-failure, abgerufen am 26.07.2019

257) Spiegel.de, 10.11.2017, https://www.spiegel.de/politik/ausland/libyen-wie-milizen-die-vergewaltigung-von-maennern-als-kriegswaffe-einsetzen-a-1176694.html, abgerufen am 26.07.2019

258) Newamerica.org, https://www.newamerica.org/international-security/reports/airstrikes-and-civilian-casualties-libya/key-findings/, abgerufen am 26.07.2019

259) zeit.de, 04. Juli 2019, https://www.zeit.de/news/2019-07/04/blutbad-in-libyen-un-schliesst-kriegsverbrechen-nicht-aus-190704-99-918202, abgerufen am 26.07.2019

260) Internetseite des Auswärtigen Amtes, Libyen Reise -und Sicherheitswarnungen, 24.08.2022, https://www.auswaertiges-amt.de/de/aussenpolitik/laender/libyen-node/libyensicherheit/219624, abgerufen am 25.08.2022

261) Internetseite des Auswärtigen Amtes, Libyen Reise -und Sicherheitswarnungen, 24.08.2022, https://www.auswaertiges-amt.de/de/aussenpolitik/laender/libyen-node/libyensicherheit/219624, abgerufen am 25.08.2022

262) Der Spiegel 46/2005, Die Revolutions-GmbH, 13.11.2005, https://www.spiegel.de/politik/die-revolutions-gmbh-a-0ff5abd6-0002-0001-0000-000043103188, abgerufen am 15.03.2022

263) Der Spiegel 46/2005, Die Revolutions-GmbH, 13.11.2005, https://www.spiegel.de/politik/die-revolutions-gmbh-a-0ff5abd6-0002-0001-0000-000043103188, abgerufen am 15.03.2022

264) Der Freitag Online, Stefan G. Meier, Enough Gaddafi - Woher der Widerstand kam, 19.03.2013, https://www.freitag.de/autoren/stefan-g-meier/enough-gaddafi-woher-der-widerstand-kam, abgerufen am 08.08.2022

265) Der Freitag Online, Stefan G. Meier, Enough Gaddafi - Woher der Widerstand kam, 19.03.2013, https://www.freitag.de/autoren/stefan-g-meier/enough-gaddafi-woher-der-widerstand-kam, abgerufen am 08.08.2022

266) Der Freitag Online, Stefan G. Meier, Enough Gaddafi - Woher der Widerstand kam, 19.03.2013, https://www.freitag.de/autoren/stefan-g-meier/enough-gaddafi-woher-der-widerstand-kam, abgerufen am 08.08.2022

267) Der Spiegel 46/2005, Die Revolutions-GmbH, 13.11.2005, https://www.spiegel.de/politik/die-revolutions-gmbh-a-0ff5abd6-0002-0001-0000-000043103188, abgerufen am 15.03.2022

268) Der Spiegel 46/2005, Die Revolutions-GmbH, 13.11.2005, https://www.spiegel.de/politik/die-revolutions-gmbh-a-0ff5abd6-0002-0001-0000-000043103188, abgerufen am 15.03.2022

269) Internetseite des Auswärtigen Amtes, Libyen Reise -und Sicherheitswarnungen, 24.08.2022, https://www.auswaertiges-amt.de/de/aussenpolitik/laender/libyen-node/libyensicherheit/219624, abgerufen am 25.08.2022

270) Der Spiegel 46/2005, Die Revolutions-GmbH, 13.11.2005, https://www.spiegel.de/politik/die-revolutions-gmbh-a-0ff5abd6-0002-0001-0000-000043103188, abgerufen am 15.03.2022

271) Neue Zürcher Zeitung, nzz.de, 27.3.2011, https://www.nzz.ch/die_rebellen-schule-1.10040035?reduced=true, abgerufen am 02.07.2020

272) Süddeutsche.de, 17. Februar 2011, https://www.sueddeutsche.de/politik/proteste-in-der-arabischen-welt-die-umsturz-gmbh-1.1061251, abgerufen am 02.07.2020

273) Der Freitag Online, Stefan G. Meier, Enough Gaddafi - Woher der Widerstand kam, 19.03.2013, https://www.freitag.de/autoren/stefan-g-meier/enough-gaddafi-woher-der-widerstand-kam, abgerufen am 08.08.2022

274) tripleC: Communication, Capitalism & Critique, Vol 11 No 1 (2013), The Potential and Limitations (of Twitter Activism: Mapping the 2011 Libyan Uprising, Simon Lindgren, Umeå University, https://doi.org/10.31269/triplec.v11i1.475,abgerufen am 02.07.2020

275) Novoargumente, 25.04.2019, https://www.novo-argumente.com/artikel/man_darf_george_soros_kritisieren, abgerufen am 02.07.2020

276) Merkur.de, Vielflieger trotz Klimakrise: CDU zwingt Baerbock und Scholz zur Preisgabe ihrer CO2-Bilanz, 18.02.2023, https://www.merkur.de/politik/co2-ausstoss-klimabilanz-bundesregierung-baerbock-scholz-flugbereitschaft-bundeswehr-leerfluege-92094625.html, abgerufen am 03.09.2023

277) Tagesschau.de, Keine guten Nachrichten um 3:36 Uhr, 14.08.2023, https://www.tagesschau.de/inland/innenpolitik/panne-baerbock-100.html, abgerufen am 03.09.2023

278) spiegel.de, Hohe Zusatzkosten nach Baerbocks Pannenflug, 02.09.2023, https://www.spiegel.de/politik/deutschland/annalena-

baerbock-hohe-zusatzkosten-fuer-ausgefallenen-regierungsflug-a-80e0aafa-000d-4568-a918-67efba9fd183, abgerufen am 04.09.2023

Tabelle 1

T1) Focus Online, „Climate Emergency Funds". Ausgerechnet eine Öl-Erbin steckt den Klima-Klebern haufenweise Geld zu, 05.01.2023, https://www.focus.de/panorama/letzte-generation-ausgerechnet-oel-erbin-steckt-den-klima-klebern-geld-zu_id_182037211.html, abgerufen am 30.07.2023

T2) Climate Emergency Fund, Q1 Report 2022, https://static1.squarespace.com/static/60930b2084ef393517963bbe/t/62ad0b90c6e87169ce16ea35/1655507873746/Climate+Emergency+Fund+Q1+2022+Report.pdf, abgerufen am 30.07.2023

T3) Internetseite des Climate Emergency Fund, Grants, https://www.climateemergencyfund.org/a22, abgerufen am 30.07.2023

Tabelle 1.1

T1.1) The Hollywood Reporter, Adam McKay Pledges $4M Donation to Climate Emergency Fund, 20.03.2022, https://www.hollywoodreporter.com/news/general-news/adam-mckay-pledges-4-million-climate-emergency-fund-1235223711/, abgerufen am 30.07.2023

T1.2) Observer (USA), Climate Emergency Fund Backers List Includes Jeremy Strong, Chelsea Handler, 11.05.2023, https://observer.com/2023/05/jeremy-strong-stars-climate-emergency-fund, abgerufen am 30.07.2023

T1.3) Form990, 2021, Onward Together Foundation, https://projects.propublica.org/nonprofits/organizations/821291110/202330329349300843/full, abgerufen am 30.07.2023

T1.4) Climate Emergency Fund, 2022 Annual Report, https://static1.squarespace.com/static/60930b2084ef393517963bbe/t/640a71ec66ae9f4ccc1e2b2b/1678406141135/Climate+Emergency+Fund_2022+Annual+Report.pdf, abgerufen am 30.07.2023

T1.5) Causeiq.com, Climate Emergency Fund, https://www.causeiq.com/organizations/climate-emergency-fund,842151545/, abgerufen am 09.08.2023

Tabelle 2.0

T2.0) Huffingtonpost.de, How Extinction Rebellion Is Funded – And

Where It Spends The Money, 02.10.2019, https://www.huffingtonpost.co.uk/entry/extinction-rebellion-protests-funding_uk_5da09183e4b02c9da0495bba, abgerufen am 07.08.2023

T2.1) Manager-Magazin.de, Ölwetten - Buffett steigt aus, Soros steigt ein 18.02.2015, https://www.manager-magazin.de/finanzen/boerse/soros-und-buffett-wetten-beim-oelpreis-gegeneinander-a-1019115.html, abgerufen am 07.08.2023

T2.2) Compassionate Revolution Limited, Extinction Rebellion United Kingdom (XRUK), Financial Report as of 31 Dec 2021. https://www.comprev.co.uk/wp-content/uploads/2022/01/20211231-CR-Financial-Report-for-XRUK-as-at-31Dec2021.pdf, abgerufen am 07.08.2023

T2.4) reuters.com, Soros: not a funder of Wall Street protests, 14.10.2011, https://www.reuters.com/article/us-wallstreet-protests-funding-idUSTRE79D01Q20111014, abgerufen am 07.08.2023

T2.5) Washintonpost.com, Democrats Forming Parallel Campaign, 09.03.2004, https://www.washingtonpost.com/wp-dyn/articles/A44513-2004Mar9_2.html, abgerufen am 07.08.2023

T2.6) Institute for Energy Research, https://www.instituteforenergyresearch.org/data/tides-foundation/, abgerufen am 07.08.2023

T2.7) peaceofoil.com, https://priceofoil.org/about/, abgerufen am 07.08.2023

T2.8) Climate Emergency Fund, Annual Report 2022, https://static1.squarespace.com/static/60930b2084ef393517963bbe/t/640a71ec66ae9f4ccc1e2b2b/1678406141135/Climate+Emergency+Fund_2022+Annual+Report.pdf, abgerufen am 07.08.2023

T2.9) 350.org, BOARD MEMBERS, https://350.org/team/#board, abgerufen am 07.08.2023

T2.10) artnotwar.com, LAURA DAWN GRÜNDER, CEO & CHIEF CREATIVE, https://artnotwar.com/people/laura-dawn-murphy/, abgerufen am 08.08.2023

T2.11) Form 999, Rockefeller Brothers Fund, Inc., 2017, https://www.rbf.org/sites/default/files/2017_rbf_990pf.pdf, abgerufen am 08.08.2023

T2.12) Form 999, Rockefeller Brothers Fund, Inc., 2016, https://www.rbf.org/sites/default/files/2016_rbf_990pf.pdf, abgerufen am 08.08.2023

T2.13) ZDF.de, Aktivisten legen Spenden offen. :900.000 Euro Spenden für "Letzte Generation", 16.01.2023, https://www.zdf.de/nachrichten/panorama/letzte-generation-transparenzbericht-klimaaktivist-spende-100.html, abgerufen am 08.08.2023

T2.14) Zeit-online, »Wir brauchen jedes Geld«, 07.06.2023, https://www.zeit.de/2023/25/klimaaktivismus-finanzierung-letzte-generation-geld, abgerufen am 08.08.2023

T2.15) nzz.ch, Suppenwürfe und Blockaden: Hinter der Klimaprotestwelle stecken eine neue Strategie und Millionen privater Fördergelder. Welche Faktoren die weitere Radikalisierung begünstigen könnten, 09.11.2022, https://www.nzz.ch/international/klimaaktivisten-mit-neuer-strategie-und-millionenspenden-ld.1711046, abgerufen am 08.08.2023

T2.16) Form 990, Rockefeller Brothers Fund, Inc., 2018, https://www.rbf.org/sites/default/files/2018_rbf_990pf.pdf, abgerufen am 08.08.2023

T2.17) Form 990, Rockefeller Brothers Fund, Inc., 2019, https://www.rbf.org/sites/default/files/2019_rbf_990pf.pdf, abgerufen am 08.08.2023

T2.18) Form 990, Rockefeller Brothers Fund, Inc., 2021, https://projects.propublica.org/nonprofits/organizations/131760106/202243189349102299/full, abgerufen am 08.08.2023

T2.19) Form 990, Rockefeller Brothers Fund, Inc., 2020 https://projects.propublica.org/nonprofits/organizations/131760106/202123129349101907/full, abgerufen am 08.08.2023

T2.20) Wahington Examiner, Hollywood and left-wing foundations behind climate charity quietly bankrolling extremist protest groups, 03.05.2023, https://www-washingtonexaminer-com.translate.goog/news/climate-emergency-fund-extremist-protest-groups-hollywood-biden?_x_tr_sl=en&_x_tr_tl=de&_x_tr_hl=de&_x_tr_pto=sc, abgerufen am 08.08.2023

T2.21) dailymail.co.uk, Offsetting guilt: Eco-minded descendants of billionaire oil barons are PAYING hundreds of activists $25,000-a-year to protest around the world because they feel 'a moral obligation to put genie back in the bottle', 10.08.2022, https://www.dailymail.co.uk/news/article-11099581/Three-oil-scions-PAYING-hundreds-eco-activists-25-000-year-professional-protesters.html, abgerufen am 09.08.2023

T2.22) Form 990, TIDES FOUNDATION 2021

T2.23) Form 990, TIDES FOUNDATION 2019

T2.24) Form 990, Rockefeller Philanthropy Advisors 2018

T2.25) Form 990, Rockefeller Philanthropy Advisors 2019

T2.26) Form 990, Rockefeller Philanthropy Advisors 2020

T2.27) Form 990, Rockefeller Philanthropy Advisors 2021

T2.28) Form 990, Rockefeller Brothers Fund, Inc., 2021

T2.29) Form 990 OSI + OSF 2001-2021

T2.30) Form 990, Rockefeller Brothers Fund, Inc., 2015-2020

T2.31) Form 990 TIDES FOUNDATION 2012-2020

T2.32) Form 990 Open Society Institure 2015-2021

T2.33) Form 990 Rockefeller Philanthropy Advisors 2019-2021

Dokumentenanhang

D1) Internetseite des Deutschen Bundestages, Vorgang - Kleine Anfrage, Zur Rolle ausländischer Gelder bei der Finanzierung von Klimaprotesten und ihre Auswirkungen auf den demokratischen Wettbewerb, 20. Wahlperiode, 12.05.2023, https://dserver.bundestag.de/btd/20/068/2006854.pdf, abgerufen am 01.08.2023

Namensverzeichnis

Abderrahmane Weddady 119
Abigal Disney 38
Adam McKay 32f, 39
Ahmed Maher 118
Ahmed Salah 118
Aileen Getty 31ff, 38, 43
Aimée van Baalen 26
Al Gore 48
Aleksandar Maric 129
Aleksandre Lomaia 96
Alexander Maric 103
Alexander Soros 60, 62, 71f, 87
Alfred Westh 22
Ali Abdulemam 119
Ali El Hadj Tahar 118, 119
Amanda Sloat 73
Anetta Kahane 58
Annalena Baerbock 60
Annie Plotkin-Madrigal 48
Ben Ali 110, 119
Bernd Baumann 135
Bich Ngoc Cao 33
Bill Clinton 73
Bill Gates 48
Bill McKibben 33, 36, 42
Carla Reemstma 30
Carol Cheng-Mayer 33
Carol Off 100
Caroline B. Glick 65f
Cem Özdemir 62
Chesla Handler 38
Christopher Wilding jr. 34
Crystal Craig 33
David Harry Hornsby 18
David Wallace Wells 33
Donald Trump 73
Eduard Schewardnadse 95, 97
Elizabeth Bella 40
Elon Musk 57
Emily Brocklebank 18
Ethel Kennedy 35
Frank Furedi 133
Frank Schwabe 62

Friedrich Merz 85
Gail Marie Bradbrook 37
Gary Gladstein 77
Gene Sharp 94, 129f
Gennaro Sangiuliano 21
George Bush 58
George William Blackmore Barda 37
Geralyn Dreyfous 33, 38
Giorgia Meloni 21
Gordon Getty 34
Gottfried Curio 135
Gregory Meeks 73
Greta Thunberg 49
Hakeem Jeffries 73
Helen Dies 22
Henning Jeschke 25f
Hillary Clinton 38, 60
Hisham Almiraat 119
Ivan Marovic 132
Ivan Vejvoda 92
Jack Ma 48
Jakob Blasel 30
James Woolsey 101, 130
James Woolsey 130
J. Paul Getty I. 32, 34
J. Paul Getty II. 34
J. Paul Getty III. 34
Jeff Bezos 48
Jerry Nadler 73
Jim Rogers 56, 75
Joachim Skahjem 21
Joanna Smith 20
Joe Biden 72
Jon Finer 73
Kamala Harris 73
Katie Redford 48
Kulturminister Gennaro 21
Laura Dawn 33, 42
Laura Silber 101
Lennard de Klerk 53
Leonid Kutschma 101
Linus Steinmetz 30

Louis McKechnie 18
Louis Mortaal 30
Luisa Neubauer 30, 36
Madeleine Albright 100
Manuela Vasiæ 93
Marc Benioff 48
Margaret Klein Salamon 31
Margaret Klein Salamon 32
Margaret Klein Salamon 33
Marina Gridneva 70
Mark Buell 38
Mark Getty 33
Mark Zuckerberg 48
Markus Beeko 121
Martin Hess 135
Matthias Holland-Letz 97
Max Voegtli 17
Meg Whitman 48
Michael Bloomberg 48
Michael Lüders 107f
Michael Martens 103
Micheil Saakaschwili 96
Mirjam Herrmann 26
Mohamed Bouazizi 110
Mohammed El-Baradei 120
Muammar al-Gaddafi 124, 126, 132
Muhammad Husni Mubarak 118f, 121
Mustafa Nayem 106
Nancy Faeser 24
Nina Srivastava 72
Nino Burdschanadse 96
Omar Suleiman 121
Omid Nouripour 60
Papst Franziskus 73
Peter Gill Case 47f
Ragna Diedrichs 30
Rebecca Rockefeller Lambert 47f
Reid Hoffman 48
Reinhard Mohr 26
Robert Helvey 94
Ron Klain 72
Ron Paul 99
Rory Kennedy 31, 33, 35, 39
Rowena Koenig 33

Russell Gray 33
Saad Bahaar 118
Saad Eddine Ibrahim 119
Sarah Ezzy 33
Selmin Caliskan 60
Shannon O'Leary Joy 33, 39
Slim Amamou 119
Slobodan Milosevic 91
Sophie Tong-Try 33
Srdja Popovic 92, 129f, 132
Stanley Druckenmiller 77
Stephen M. Kretzmann 33
Surab Schwania 96
Tailitha Pol 34
Thomas Middleditch 38
Timothy Leary 35
Trevor Neilson 31, 35
Vebjørn Bjelland Berg 21
Wael Adel 118
Wael Nawara 119
Wiktor Janukowytsch 70, 99, 105, 107
Wiktor Juschtschenko 99
Witali Sachartschenko 107
Wladimir Putin 88, 105, 107
Wladislaw Kaskiw 101
Wolfgang Schmidt 62
Yusra Razouki 33

VAWS-Pressebüro

Bündnis 90/ Die Grünen

Ein alternativer Verfassungsschutzbericht

Es existiert bereits viel an Literatur über DIE GRÜNEN und man sollte meinen, damit sei alles Wissenswerte geschrieben. Leider falsch! Zum einen existieren jene Bücher und Schriften, welche die Partei unkritisch behandeln, die Parteigeschichte durch Weglassen beschönigen oder diese schlichtweg umgeschrieben haben.

Zum anderen gibt es eine Reihe kritischer Schriften, die sich vor allem durch eine Fülle von falschen Zitaten disqualifizieren und somit unglaubwürdig sind. Auch die Oberflächlichkeit dieser Literatur muss an dieser Stelle bemängelt werden.

Zum Beispiel ist häufig von einem Dutzend Kommunisten die Rede. Fakt hingegen ist, dass mehr als 200 Kommunisten die Partei unterwandert haben. Rund 70 davon konnten wir bereits namentlich aufführen. Diese haben überwiegend gehobene Parteiposten, haben in den Parlamenten und in den Ministerien Einzug gefunden – nicht selten bis heute.

Das Thema Pädophilie (Mißbrauch von Kindern) fungiert in den meisten dieser kritischen Schriften als Hauptthema und gleicht der parteieigenen sogenannten Aufarbeitungsschrift zu diesem Thema. Auch hier konnten wir zusätzliche Informationen beschaffen, die nicht nur die Theorie, sondern die kriminellen Handlungen - die im Verborgenen abliefen – behandeln.

Die mangelnde Aufklärung nicht nur der großen Medien, sondern auch der kleinen - mit dem Anspruch besonders umfangreich aufzuklären - haben sicherlich zu den enormen Wahlerfolgen von BÜNDNIS 90/DIE GRÜNEN beigetragen.

Wir müssen liefern! Das haben wir als unsere Aufgabe angesehen und bieten hiermit unsere Neuerscheinung an.

Die Umweltschutzbewegung war in den 1970er Jahren eine Sammlung von Aktivisten jeder politischen Ausrichtung. Durch die kommunistischen Unterwanderung der Partei DIE GRÜNEN ist davon nicht mehr viel übrig geblieben.

Wir haben die Geschichte der Partei unzensiert aufgearbeitet und zusammengetragen. Umweltschutz war bereits 50 Jahre vor der Parteigründung DIE GRÜNEN von den Nationalsozialisten erforscht und teils praktiziert worden.

DIE GRÜNEN - ein Plagiat?

Viele der damaligen Umweltschutzaktiven haben an der Gründung der Partei mitgewirkt. Darunter auch maßgeblich eine als »rechtsextrem« eingestufte Partei. Es folgte die Unterwanderung der Grünen durch die K-Gruppen. Diese unzensierte Geschichte, die Lobbyarbeit einiger Grünen-Politiker, das Strafregister grüner Aktivisten (Sexueller Missbrauch, Affären, Betrug, Steuerdelikte, Untreue ...), Zitate und vieles mehr, haben wir für Sie in diesem neuen Buch zusammengetragen.

VAWS-Pressebüro, Bündnis 90/Die Grünen - Ein alternativer Verfassungsschutzbericht, ISBN 978-3-927773-92-9, 216 Seiten, Broschiert: 16,80 Euro. Gebunden: 24,80 Euro

VAWS-Pressebüro

Schwarzbuch Deutscher Bundestag
19. Wahlperiode

Bestechlichkeit, Betrug, Untreue, Unterstützung von Terrororganisationen, Fahrerflucht, öffentliche Aufforderung zu Straftaten, Subventionsbetrug, Verletzung von Dienstgeheimnissen, Verstoß gegen das Parteiengesetz, Offenbaren von Staatsgeheimnissen, Steuerhinterziehung, Aberkennung des Doktortitels, Urkundenfälschung, Hausfriedensbruch, Diebstahl u.v.a. - es liest sich wie ein Buch über die Mafia, ist aber aus dem Inhalt des Schwarzbuch Deutscher Bundestag, 19. Wahlperiode (2017-2021).

Das »Schwarzbuch Deutscher Bundestag« erhebt den Anspruch, eine wichtige Ergänzung zu den Verfassungsschutzberichten der Bundesrepublik Deutschland zu sein.

Wir vervollständigen die kosmetischen Biografien in den Bundestagshandbüchern. Wir nennen Bundestagsabgeordnete die straffällig geworden sind, oder gegen die staatsanwaltschaftliche Ermittlungen Eingeleitet wurden. Dazu Zitate mit Quellen (Urquellen).

VAWS-Pressebüro, Schwarzbuch Deutscher Bundestag, 19 Wahlperiode, ISBN 978-3-927773-60-6, broschiert, 160 Seiten, 16,80 Euro

VAWS-Pressebüro
Schwarzbuch Deutscher Bundestag
20. Wahlperiode

Bestechlichkeit, Betrug, Untreue, Unterstützung von Terrororganisationen, Fahrerflucht, öffentliche Aufforderung zu Straftaten, Subventionsbetrug, Verletzung von Dienstgeheimnissen, Verstoß gegen das Parteiengesetz, Offenbaren von Staatsgeheimnissen, Steuerhinterziehung, Aberkennung des Doktortitels, Urkundenfälschung, Hausfriedensbruch, Diebstahl u.v.a. - es liest sich wie ein Buch über die Mafia, ist aber aus dem Inhalt des Schwarzbuch Deutscher Bundestag, 20. Wahlperiode (2021-2025).

Das »Schwarzbuch Deutscher Bundestag« erhebt den Anspruch, eine wichtige Ergänzung zu den Verfassungsschutzberichten der Bundesrepublik Deutschland zu sein.

Wir vervollständigen die kosmetischen Biografien in den Bundestagshandbüchern. Wir nennen Bundestagsabgeordnete die straffällig geworden sind, oder gegen die staatsanwaltschaftliche Ermittlungen Eingeleitet wurden. Dazu Zitate mit Quellen (Urquellen).

VAWS-Pressebüro, Schwarzbuch Deutscher Bundestag, 20 Wahlperiode, 978-3-927773-99-8, broschiert, 162 Seiten, 16,80 Euro

VAWS-Pressebüro
Das aktuelle »Besatzungsrecht« in Deutschland und die Souveränitätsfrage

Band 2: Das NATO-Truppenstatut und die Besatzungskosten

NATO-Truppenstatut = Besatzungsrecht? Die einstigen Besatzungstruppen sind jetzt als sogenannte »NATO-Partner« in Deutschland stationiert. Dieses Buch durchleuchtet die Rechtslage der Stationierung fremder Truppen und Gefahren die von ihr ausgehen. Inwieweit ist das NATO-Truppenstatut die Fortsetzung des Besatzungsrechts?

Warum tragen wir noch heute für die fremden Truppen die Kosten und wie viel zahlen wir? Was dem deutschen Steuerzahler die US-Truppen in Deutschland kosten ist wohl bis heute nicht eindeutig belegt. Während wir aktuell in den Medien von hunderten Millionen lesen haben wir in diesem Buch Milliarden errechnet.

Aus dem Inhalt: Das NATO-Truppenstatut in Deutschland und die Souveränitätsfrage; Die Kosten der Stationierung ausländischer Truppen in Deutschland; Gesetzliche Grundlagen zum Aufenthalt ausländischer Truppen in Deutschland (Gesetzestexte). Ausarbeitungen zu den Fragekomplexen über ausländische Streitkräfte: Steuervergünstigung, Waffen tragen in der Öffentlichkeit, Entschädigungen für angerichtete Schäden, Datenschutz, Spionage, Strafgerichtsbarkeit ...

VAWS-Pressebüro, Das aktuelle »Besatzungsrecht« in Deutschland und die Souveränitätsfrage, Band 2: Das Nato-Truppenstatut, ISBN 978-3-927773-91-2, 260 Seiten, 28,50 Euro

VAWS-Pressebüro
Das aktuelle »Besatzungsrecht« in Deutschland und die Souveränitätsfrage

Band 3:
Die Europäische Union (EU) und die Souveränitätsfrage

Die »Vereinigten Staaten von Europa« stehen vor der Vollendung. Immer häufiger stellt sich die EU über deutsches Recht, bestimmt maßgeblich die Geschicke unseres Landes und setzt sich über unsere Volksinteressen hinweg. Der Einflussbereich Deutschlands auf die EU-Organe hat mit Demokratie nur noch wenig zu tun.

Diese sensationelle Neuerscheinung setzt sich detailliert mit daraus resultierenden Fragen auseinander und führt uns in eine Welt des bisher wenig Bekannten und nicht für möglich Gehaltenen. Wir rücken dem Wahnsinn immer näher, unsere gesamte Souveränität aufzugeben und die Zukunft unseres Volkes in fremde Hände zu legen. Dabei darf man nicht vergessen, dass der Weg zur europäischen Einigung vor allem dadurch geebnet wurde, um die deutsche Wirtschaft zu kontrollieren und diese möglichst kleinzuhalten.

Unsere Juristen haben sich diesem Thema gewidmet und alles verständlich für Sie zusammengetragen.

VAWS-Pressebüro, Das aktuelle »Besatzungsrecht« und die Souveränitätsfrage, Band 3: Die Europäische Union und die Souveränitätsfrage, 978-3-927773-62-2, geb., 217 Seiten, 28,50 Euro